BOCARANDA

El poder de los secretos

Nelson Bocaranda Sardi
Diego Arroyo Gil

BOCARANDA
El poder de los secretos

Av. Libertador con Calle Alameda, Torre Exa,
piso 3, ofic. 301. El Rosal - Caracas

Depósito legal: If52220150702230
ISBN: 978-980-271-548-0

Primera edición: noviembre de 2015
Segunda edición: diciembre de 2015

Diseño de cubierta e interiores: Ernesto Cova

Fotografía de portada y solapa 1: ©Roberto Mata
Fotografía de Nelson Bocaranda Sardi y Diego
Arroyo Gil (solapa 2): cortesía de los autores

Impreso por Editorial Arte, S.A.
Impreso en Venezuela - *Printed in Venezuela*

A Bolivia, Nelson Eduardo y Cristina,
que tanto insistieron en que existiese este libro

runrún.

(*Voz onomatopéyica*).

1. m. Zumbido, ruido o sonido continuado y bronco.

2. m. Ruido confuso de voces.

3. m. coloq. Voz que corre entre el público.

Índice

Presentación.
¡VAMOS AL AIRE!

CADA VEZ QUE A LO LARGO DE MIS AÑOS de trabajo he compartido con amigos y, sobre todo, con colaboradores y productores, tanto en la radio como en la televisión, alguna anécdota de mi ejercicio profesional, alguien pregunta: "¿Y cuándo vas a escribir tu libro, para que nos cuentes todos los momentos íntimos de tu carrera? ¿Cuándo nos vas a decir, de una buena vez, todo aquello que nunca nos has dicho?".

Bolivia, mi queridísima esposa y quien desde que la conocí ha sido mi faro de luz y un ejemplo a seguir, al igual que mis amados hijos Nelson Eduardo y Cristina, comenzaron hace ya unos años a requerirme esta escritura, convencidos de que las nuevas generaciones deben conocer cómo se trabajó el periodismo en los últimos 50 años.

Me siento agradecido con Dios –¡y con tantos santos y santas!– por haberme permitido vivir un sinfín de experiencias enriquecedoras y sorprendentes, cuyo registro, en estas páginas, estoy seguro transportará a los lectores a tiempos mejores y les permitirá comprobar que todo lo que siempre he contado tiene fundamento. Ahora que ordené estas memorias, me di cuenta de cómo en mi camino se han cruzado circunstancias tan especiales y sorprendentes que son difíciles de asimilar como hechos fortuitos.

Ha sido arduo organizar tantas historias. Cuando narraba algún episodio particular se me venían a la cabeza otros que, "por cierto", también merecían estar aquí. Para darle coherencia a la variedad de nombres, fechas y cuentos de mi vida, nadie mejor que Diego Arroyo Gil, un joven colega que se formó de la mano de Simón Alberto Consalvi, quien no solo era mi primo sino además uno de mis mentores y ejemplos profesionales, y una de las personas que más me insistió en la necesidad de que hiciera este libro. El encuentro con Diego fue otra de esas "casualidades" de mi carrera: fue un día a llevarme una biografía que escribió sobre Consalvi y decidimos juntarnos para este proyecto.

En las páginas por venir el lector observará que, al hablar, con mucha frecuencia paso del presente al pasado, y viceversa. Diego y yo acordamos conservar esa dinámica de la conversación, a fin de no traicionar mi manera de moverme entre tantos recuerdos. Por razones que no hace falta exponer, el tratamiento informativo que le di a la enfermedad y muerte del expresidente Hugo Chávez ocupa un lugar principal en este libro, donde hago confesiones que no había hecho hasta ahora. Mi deseo es que ellas sirvan para que los venezolanos y el resto de los interesados alrededor del mundo puedan comprender mejor nuestra historia contemporánea. Sobre este asunto en particular digo aquí todo, todo lo que hoy puedo decir.

Mis queridos productores, Venezuela Hernández, en Venevisión; e Isabella Mendoza, Gabriela García y Eduardo Ponte, en Onda La Superestación y Éxitos FM, amén de tantos compañeros de vida profesional, han sido esenciales para mí por el entusiasmo que me han brindado. Ese entusiasmo, aunado al de mi familia, hizo posible que me decidiera a llamar a las puertas de la editorial Planeta para publicar el libro. Agradezco a Mariana Marczuk, Lourdes Morales y Laura Helena Castillo su interés y sus atenciones. Sin mis abogados: Juan Martín Echeverría, Juan Martín Echeverría Becerra, ambos que en paz descansen, Jesús Loreto, María Delina Sánchez, Fabiana Miralles y Guillermo Sabino, el camino hubiese sido más difícil. Su compañía ha sido indispensable.

Espero complacer a los que por años me han preguntado cuándo sacaba el libro. Gracias a todos los que desde que comencé en el periodismo, en 1961, me dieron una mano para llegar a donde hoy estoy. Que Dios se los pague. Confío asimismo en que este libro sea leído por mi primera nieta, Sofía Alejandra, para que conozca las aventuras de vida de su abuelo.

NELSON BOCARANDA SARDI

¡RUNRÚN! ¿QUIÉN ES?

Las únicas dos personas a las que les dije quiénes eran las fuentes que me informaban sobre la enfermedad del presidente Hugo Chávez fueron Simón Alberto Consalvi y Luis Vezga Godoy, mis confidentes y amigos. Se los dije por medidas de seguridad. Por si me pasaba algo. Les expliqué de dónde y cómo me llegaba la información, de manera que estuvieran enterados de todo en caso de que se presentara alguna situación indeseada. Nadie mejor que un gocho para guardar un secreto. ¡Si eran dos, mejor! No sucedió nada, gracias a Dios, aunque en julio de 2013, ya fallecido Chávez, fui llamado a testificar en la Fiscalía General de la República. Me citaron con base en una acusación falsa. A propósito de un tuit a través del cual había advertido que en las elecciones presidenciales en las que se enfrentaron Nicolás Maduro y Henrique Capriles, el 14 de abril, se habían ocultado unas cajas llenas de votos en un Centro de Diagnóstico Integral, dijeron que yo había "incitado a la violencia". Una cosa absurda. Un pase de factura. No me perdonaban que tuviera acceso a todos los datos que ellos no conocían. No me perdonaban haber dicho lo que no querían que se supiera con respecto a la gravedad de Chávez. Nos enteramos de la muerte del presidente el 5 de marzo, yo publiqué el tuit el lunes 15 de abril y la campaña que Ernesto Villegas, Andrés Izarra, Mario Silva, Pedro Carreño, entre otros, emprendieron contra mí fue tan fuerte e inmediata, que un contacto que tengo me recomendó que saliera del país. Yo tenía información de que querían allanar mi casa y por Venezolana de Televisión (VTV) decían que tenía que ir preso. Eran muchas, muchas las amenazas. Me aseguré de que me iban a dejar salir y, el 17 de abril, me fui al aeropuerto Simón Bolívar de Maiquetía. Había conseguido rápidamente un pasaje para Miami. Cuando iba a entrar al avión, se me acercó un agente de Inmigración y me dijo: "Mira, Bocaranda, mi jefe quiere hablar contigo". Yo no sabía quién era el hombre ni quién su jefe, y le dije: "No es posible, no es posible, el avión está saliendo", y entré. ¡Ni de vaina me regresaba yo! Luego me enteré de que el jefe de Inmigración quería que yo le contara runrunes sobre Chávez. ¡Gente safrisca y faramallera, que nunca falta! Me fui a Miami, pero la campaña en mi contra continuó, hasta que el 4 de julio la Fiscalía emitió la citación. La noche de ese día una persona me dijo que, a través de un personaje de la farándula venezolana, podíamos averiguar qué era lo que quería de mí la Fiscalía. Al principio aquello me resultó muy extraño... ¿qué tenía que ver el *show business* con el gobierno?..., pero se hizo el trámite y la respuesta fue que la citación era para preguntarme por mis fuentes. El hecho es que esta figura de la farándula asesoraba a una muy encumbrada funcionaria del Ministerio Público en cuanto al vestuario. Incluso se la ha llevado de paseo por Europa para que asista a grandes festejos de la moda. Vuelos en primera clase y hoteles cinco estrellas. Todos los gastos corren por cuenta de ella, faltaba más. Tal es el "socialismo" que profesan y practican. Una farsa. Nunca dudé en asistir a la citación. Mis abogados me dijeron que no había manera de que me imputaran, aunque como esta gente es capaz de hacer cualquier vaina, estábamos atentos. Yo llegué a Caracas, desde Miami, el 10 de julio. Esa noche no dormí en mi casa sino donde un buen amigo y me preparé para ir a la Fiscalía al día siguiente. A las 8 de la mañana en punto estaba en el Ministerio Público. Les caí por sorpresa. Ellos pensaban que yo no iba a presentarme porque era "un cobarde de mierda", y esas cosas. A través de Nelson Eduardo, mi hijo, también periodista, publiqué un tuit para informar que estaba en la Fiscalía y eso dio pie para que el gobierno enviara un autobús cargado de gente para que me insultara. "¡Criminal! ¡Asesino! ¡Pitiyanqui!", lo mismo de siempre. Un escándalo. Finalmente, a las 10 de la mañana, llegaron los fiscales: eran dos mujeres y un hombre. Sin darme cuenta, en uno de los bolsos de viaje yo me había traído a Caracas una cruz de San Benito Abad. Me la encontré mientras deshacía la maleta y, como me pareció una buena señal, me la llevé al Ministerio Público. Justo antes de que comenzara el interrogatorio, escucho que alguien dice: "Hoy es 11 de julio, día de San Benito". ¡Coño! Y una de las fiscales pregunta: "¿Ese es el que le consigue novio a uno?". "No, no –le respondo yo–. Es el otro San Benito, San Benito Abad, este que tengo yo aquí", y saco la crucecita y le digo: "San Benito Abad, el que conjura al Demonio". Les echo la bendición a los fiscales y me persigno yo, ¡por si acaso! El interrogatorio duró cuatro horas y, en efecto, la pregunta recurrente fue quiénes eran mis fuentes. La insistencia fue tal que, en cierto momento, les dije: "Está bien, voy a revelar quiénes son mis dos fuentes". La cara les cambió inmediatamente. "Mis fuentes son la fuente de la plaza O'Leary, en El Silencio, y la fuente de la plaza Venezuela. Dos hermosas fuentes de agua". ¡¿A quién carajo se le ocurre que uno va a traicionar a sus fuentes?! Yo confesaba quiénes eran y me mataban: ¡me matan! La única circunstancia que me permitiría decir quiénes fueron mis informantes es que esas personas mueran, y con eso no quiero decir que lo desee, ni mucho menos. Parece absurdo que tenga que aclararlo, pero prefiero hacerlo para evitar malos entendidos o interpretaciones a conveniencia. Además, sigo en contacto con esas fuentes. Guillo.

¿Alguno de tus informantes era pariente del presidente Chávez?

Esto nunca lo he dicho, pero ya puedo hacerlo: una persona del entorno de Chávez dio la orden de que se me transmitiera la información. De eso me di cuenta con el tiempo, atando cabos. Cuando se le diagnosticó el cáncer al presidente se abrió la incógnita de quién podría ocupar su lugar, de quién estaba en capacidad de sustituir al hombre que concentraba un poder que solo él tenía, el líder cuyas órdenes jamás se discutían. Se sintió temor de que se desatara una guerra interna. ¿Chávez podría ser reemplazado por alguien de su familia? ¿Por alguno de sus principales aliados en el gobierno? ¿Tenía que ser un civil? ¿Tenía que ser un militar? Ante las dudas, se decidió que la información sobre su estado de salud saliera a la luz.

¿Él sabía quién te informaba?

Tal vez. Yo mismo a veces me pierdo en el laberinto, pero tonto no soy. Para que la gente entienda cómo funcionan las cosas en Venezuela con el chavismo: durante el interrogatorio en los tribunales, una de las fiscales dijo que ella no sabía qué era Twitter, donde yo publicaba mucha información sobre la enfermedad del presidente, y me pidió que lo explicara. Lo expliqué, hecho el pendejo, porque era obvio que ella sabía qué es y cómo funciona Twitter. Finalizado el interrogatorio, a punto de salir de la sala, la misma fiscal se me acercó y me dijo, casi al oído, calladita: "Yo te sigo en Twitter, Bocaranda, yo te sigo". Lo mismo me sucede en el aeropuerto de Maiquetía, donde en general siempre ha habido buena receptividad por parte de los funcionarios. Cuando me revisan el equipaje, el 90% de las veces se disculpan, me dicen que no tienen nada en contra de mí pero que están obligados a cumplir órdenes. Además, aprovechan para criticar al gobierno y para pedirle a uno que siga en lo suyo, dando la pelea. Alberto Federico Ravell, a quien también lo tienen en la mira cuando viaja, o cuando lo dejan viajar, derrite chocolate sobre unos calzoncillos y los pone encima del resto de la ropa, de modo que cuando los agentes de Inmigración abren la maleta, se llevan un susto.

Como no sabíamos cuánto tiempo duraría la visita a la Fiscalía, Bolivia, mi esposa, me había reservado pasajes, a distintas horas, para salir del país. Tenía vuelos a Lima, a Bogotá y a Miami a lo largo de la tarde. Yo estaba indeciso en cuanto a si me iba o me quedaba en Venezuela. A fin de cuentas, todo había salido aparentemente bien. Frente a las dudas, fui a ver a una persona estrechamente vinculada al gobierno, que me dijo que lo mejor era que me fuera, pues si bien no habían logrado sacarme información durante el interrogatorio, al día siguiente podían reaccionar y joderme. "Vete y quédate tranquilo afuera", me recomendó. Bajando a Maiquetía nos encontramos con que había habido un accidente y el tráfico era un infierno. Era imposible que llegara para montarme en el último vuelo para el que tenía reserva. Llamamos a la aerolínea Santa Bárbara, y tuvimos la suerte de que su vuelo a Miami programado para las 6 de la tarde estaba retrasado y había asientos disponibles. Por casualidad, Miguel Henrique Otero y otro gerente del diario *El Nacional*, Daniel Pérez Poleo, también viajaban en ese avión. Cerca de la medianoche, nos llamaron a embarcar. Estábamos todos los pasajeros dentro del avión, sentados, y el avión, parado. Y pasaba y pasaba el tiempo y el avión, parado. Pensé: "¿Y si esta vaina es por mí?". En esas circunstancias a uno se le ocurre hasta lo inimaginable. Nada, como era un vuelo fuera de hora, faltaba un documento de autorización que no estaba listo. Una vez que llegó el documento, nos fuimos. Salimos de Caracas a la 1 de la mañana y aterrizamos a las 4 en Miami.

¿Cuánto tiempo estuviste allá?

Seis meses, hasta que consideré que podía regresar y regresé. Durante ese período nunca dejé de trabajar. Ni siquiera abandoné la radio. Mariela Celis, mi compañera de programa, tenía un iPad en el estudio de Caracas y yo tenía otro en el estudio de Miami desde donde transmitía, vía satélite. El audio era perfecto y estar conectados por video me permitía a mí ver a los invitados y a ellos verme a mí. Yo quería que la menor cantidad de gente posible supiese que estaba fuera y creo que lo logré. Decía, por ejemplo: "Oye, Diego, qué bien te queda esa camisa de cuadritos", o "Mariela, hoy viniste más arreglada que de costumbre, ¿de quién es la fiesta que tienes esta noche?", y cosas así. La gente me escuchaba y no sospechaba nada. Lo hice para proteger a la radio y a los anunciantes. Era mi compromiso. Siempre he procurado tener las mejores relaciones con las empresas y con la gente con las cuales trabajo.

La primera estación de radio donde ejercí el oficio fue Radio Aeropuerto, que funcionaba en Maiquetía, aunque las oficinas donde yo operaba quedaban en Caracas, en el Centro Empresarial del Este. Uno salía a la calle a buscar la noticia, grababa en unos rollitos de tres minutos de duración y el audio se enviaba a Maiquetía con los choferes de una famosa línea de taxi, la 22Mil, desde la avenida Fuerzas Armadas. Todavía estábamos lejos de la tecnología de la que disfrutamos hoy en día. Yo fui a parar a Radio Aeropuerto gracias a otro periodista, Tomás Matos Betancourt. Un día, estando en el Congreso, me encontré con él y me dijo: "Oye, chico, estamos buscando reporteros para la estación del aeropuerto. Ven acá, vamos a hacer una prueba". Me dio un micrófono y me pidió que hablara, que dijera cualquier cosa. A lo sumo habré llegado a decir: "Los saludo, amigos, desde Radio Aeropuerto...", cuando Matos Betancourt me interrumpió: "¡Listo, listo, perfecto!". Llamó al doctor Luis Hernández Solís, el dueño de la estación, y le dijo: "Mire, doctor, aquí tengo a un muchacho que tiene pasta para periodista. Se viene a trabajar con nosotros". Era 1962.

Tiene cuatro teléfonos y, al menos, cinco direcciones de correo electrónico, además de varias computadoras y otros artefactos de comunicación. Está al día con la tecnología como lo estaría un muchacho de 20 años, aunque Bocaranda ya cum-

plió los 70. Luce más joven no solo porque lo favorece la genética –¡esos gochos duran!–, sino también porque suele tener muy buen humor, y como todo el mundo sabe, el buen humor impide que la gente envejezca malamente. Nelson se la pasa echando broma y contando chistes, y cuando evoca su encuentro con algún personaje relevante, de voz o actitud características, lo imita con una teatralidad de doblarse de la risa: Rómulo Betancourt, Rafael Caldera, Jaime Lusinchi, Fidel Castro, Salvador Allende y otros más que es mejor no mencionar para evitar que nos lo tomen a mal y nos caiga la pava macha. (Algunos están actualmente en el poder, en Venezuela, y tienen fama de hampones). Cuando Bolivia ve a Nelson moviéndose de un lado para el otro, pasando de una cosa a la siguiente, sin parar, voltea y dice: "Ha sido así toda la vida, pero creo que está peor". Él escucha el comentario, se ríe y sigue en lo suyo.

Yo nací el 18 de abril de 1945, en Boconó, estado Trujillo. A pesar de que me trajeron para Caracas a los 2 años y crecí aquí, cuando estoy entre paisanos se me sale el gocho. Mi padre, Alfredo Bocaranda González, era también de Boconó. Mi madre, Italia Sardi Consalvi de Bocaranda, del pueblo merideño de Tovar. Simón Alberto Consalvi y yo éramos primos segundos. Su abuelo paterno era hermano de mi abuela materna. Lo conocí siendo yo un niño de 7 años, en la placita de Las Mercedes, en el centro de Caracas. Papá era el dueño de la farmacia de Tienda Honda, que quedaba al frente de esa plaza, y en 1952 me pidió que lo acompañara a entregarle una bolsa de remedios "al primo de la chivita". Era Simón, que tenía una barba escasa. En ese momento él estaba en la clandestinidad, luchando contra la dictadura del general Marcos Pérez Jiménez. Las medicinas eran para ayudar a la gente de la oposición política.

Consalvi me acompañó mucho en la vida. Me he dado cuenta de eso ahora, luego de su muerte. Cuando estaba vivo su presencia era de tal constancia en mi cotidianidad que yo no hacía el recuento de las experiencias compartidas. Simón fue una de mis primeras fuentes. Ejercía la presidencia del Instituto Nacional de Cultura y Bellas Artes, entre mediados y finales de los sesenta. Unos años antes, en el 61, estando yo en cuarto año de bachillerato, en el Colegio La Salle, el hermano Felipe Peñaloza nos sometió a todos a un test vocacional y me dijo que, según los resultados, yo servía para periodista. Dio la casualidad de que, en ese momento, Alberto Ancízar Mendoza, sacerdote jesuita, acababa de fundar la Escuela de Periodismo de la Universidad Católica Andrés Bello (UCAB) y bastaba con que uno hubiera concluido los primeros tres años del bachillerato para inscribirse. A mí me entusiasmó la idea, fui y me inscribí. Liana Pérez Alea, Manuel de Casas Bauder y yo éramos los más jóvenes del grupo que inauguraba la Escuela. Liana era alumna del San José de Tarbes y Manuel, al igual que yo, de La Salle. El más viejo era el padre español, capuchino, Fray Cesáreo de Armellada, sesentón, célebre por su vinculación con algunas comunidades indígenas. Fue el redactor del primer diccionario de lengua pemón que se conoció en Venezuela y llegó a ser miembro de las academias de la Historia y de la Lengua. Fuimos buenos amigos, a pesar de la diferencia de edad.

El modelo en el que se inspiró el padre Ancízar para montar la Escuela de Periodismo de la UCAB fue el de la escuela de la Universidad de Missouri, donde él había estudiado. Hizo un trabajo extraordinario y tuvimos muy buenos profesores: Luis Herrera Campins, Gloria Stolk, Eleazar Córdoba Bello, Hugo Briceño Salas, Oscar Yanes, Carlos Delgado Dugarte, Antonio Cova, Alfredo Cortina, Ramón J. Velásquez, James Teale, Félix Cardona Moreno, Armando Guía, Manuel Pérez Vila, el Che Fernández Unsaín y los jesuitas Ibáñez, Carías, González y Ojer, entre otros. Concluido el primer año de la carrera, en 1962, hice prácticas en *El Mundo*, con Rafael Poleo, y también en la United Press International (UPI), pero igualmente tenía asignaciones como estudiante de la Escuela. Un día, una de las asignaciones implicaba ir al Congreso. Fue entonces cuando sucedió el encuentro con Matos Betancourt y la propuesta de irme a trabajar a Radio Aeropuerto.

Además de ser profesor nuestro, el viejo Ramón Velásquez era secretario de la presidencia del gobierno de Rómulo Betancourt. Recuerdo que llegaba a la universidad con chofer y un guardaespaldas. La Escuela de Periodismo quedaba enfrente de la sede principal de la UCAB, en un edificio en cuya planta baja funcionaba una librería llamada El Nuevo Orden, propiedad de un señor de apellido González que murió en el terremoto de Caracas de 1967. Oscar Yanes dirigía el diario *La Esfera*, donde era célebre la columna de "César Cienfuegos", un seudónimo bajo el cual se encubría un grupo de periodistas, entre ellos el propio Oscar, Rodolfo José Cárdenas, etcétera. Era una columna diaria, muy polémica, donde se ventilaban los intríngulis de la política del momento, los tras bastidores de aquella Venezuela. En cierto momento me percaté de que, con mucha frecuencia, con la excusa de que eran profesores, Yanes, Velásquez, Luis Herrera y Briceño Salas se encerraban para conversar. Sospeché entonces que eran reuniones para echarse los cuentos que luego aparecían en la columna de Cienfuegos. Años más tarde, ya en confianza, Oscar me lo confirmó. Esa fue mi primera experiencia con respecto a cómo funcionan los periodistas y sus fuentes. Fueron los primeros "runrunes" de los que tuve conocimiento en la vida.

Yo he estado picado por las noticias desde muy pequeño. Por dos razones. La primera, porque papá era aficionado a la radio. Le interesaba enterarse de todo lo que estuviera pasando en el mundo. Por las mañanas, mientras se afeitaba, escuchaba los noticieros de Radio Continente y Radio Rumbos, y, en la noche, la Voz de América, la BBC de Londres o la Deutsche Welle. Eso a mí me marcó mucho porque se me hizo habitual estar pendiente de los sucesos del día. La otra circunstancia que creo importante es que yo aprendí a leer con la columna de Abelardo Raidi, "La pantalla de los jueves", con mi abuela Josefa González de Bocaranda, lectora de periódicos y fumadora empedernida. Ella agarraba *El Nacional*, buscaba la columna de Abelardo y yo tenía que hacer la lectura de corrido. Yo ya tenía cierta idea del idioma porque, cuando salía de paseo con mis padres, en carro, me asomaba por la ventanilla, ellos me señalaban avisos publicitarios que nos conseguíamos en el camino y me decían, por ejemplo: "Allí dice 'Bazar Caracas'", y yo veía y repetía: "Bazar-Ca-ra-cas", y así. Es una experiencia que compartimos mi hermana Betty y yo, los hijos mayores. Somos cinco hermanos:

yo nací en el 45; Betty, en el 47; María Elena, en el 50; Alfredo, en el 52, y Mario, el menor, en el 62. Cuando Mario nació yo estaba estudiando periodismo y a mis compañeros de curso les asombró que me hubiera nacido un hermanito, siendo yo un muchacho de 16 años. Hicieron una colecta y le compraron unos pañales Playtex de regalo.

Años más tarde le conté a Abelardo Raidi que había aprendido a leer con su columna. Él era amigo de un tío mío, Luis Fernando Wadskier. Me lo encontré en una competencia de Go Kart, en la avenida Casanova, en Caracas, me le acerqué, me presenté y se lo dije. Yo siempre he sido muy asomado y a veces me he llevado chascos por eso. Un día, de viaje con mi familia, en Chicago, mis hijos me dicen: "Mira, papá, aquel que está allá es Bill Cosby", quien ahora ha vuelto a ser noticia porque se ha descubierto que drogaba a mujeres para violarlas. Como unos años antes, en una fiesta en Nueva York a la que me invitó Gustavo Cisneros, yo había coincidido con Bill Cosby y lo había entrevistado, fui a saludarlo. El tipo me miró y me dijo: "Oh, no, no... I'm not Bill Cosby, I'm sorry!". No era él. Mis hijos me habían echado una vaina. ¡Todavía hoy lo tienen de jodienda! Esas son las cosas que le pasan a uno por asomado, pero igualmente pienso que si yo no fuese así, me hubiese perdido muchas de las experiencias que me han nutrido como periodista. Esa misma forma de ser me ayudó mucho, en mis comienzos, a vincularme con la "prensa mayor", con los veteranos de todas las áreas. Yo los admiraba y ellos me agarraban cariño. Tanto así que Pedro J. Díaz, que dirigía las páginas sociales de *El Nacional*, incluso una vez llegó a ofrecerme que lo supliera en su cargo durante unas vacaciones. No lo hice porque Sociales no era lo mío, pero es un buen ejemplo de cuál era mi relación con los más viejos.

Abelardo y yo vivimos juntos el terremoto del 67, no directamente en Caracas sino desde Montreal, Canadá. Llegamos allí el mismo día del sismo, el 29 de julio. Íbamos como periodistas a cubrir la Exposición Universal de ese año, que se celebraba en esa ciudad. Yo era reportero de Venevisión y Abelardo de *El Nacional*. En el hotel donde nos alojamos, compartimos habitación. En la noche, al llegar de cenar, Abelardo se echa a dormir. Yo prendo la televisión para ver las noticias y me entero de que ha ocurrido un terremoto en Caracas. Trato de despertarlo y no responde. Estaba rendido. Cuando escucho que se han caído edificios y que la situación es grave, le grito: "¡Abelardo, ha habido un temblor terrible en Venezuela y hay muertos!", y él, que dormía con un antifaz para que no le molestara la luz, se levantó de golpe y en medio de la confusión se dio un coñazo contra la pared. Después, cada vez que nos veíamos, le preguntaba: "¿Y entonces, Abelardo, sigues durmiendo con el antifaz?", porque el carajazo que se metió fue tremendo.

Guido Grooscors, el director de la Oficina Central de Información (OCI), también estaba en Montreal. Habíamos viajado con él, e igualmente, recuerdo, con Elsy Manzano, la miss del Cuatricentenario de Caracas, que se acababa de celebrar. En la habitación de Guido montamos una oficina de emergencia para estar en contacto con el presidente Raúl Leoni. Estuvimos allí toda la noche y la madrugada. La OCI era el ministerio de comunicaciones de la época, de modo que Guido era el jefe de los servicios de información del Estado. Era tal la angustia que teníamos que sin darnos cuenta nos comimos dos kilos de cereza que había comprado Gisela, su mujer, y se nos descompuso el estómago. Al día siguiente decidimos que debíamos regresar, pero no había vuelo directo Montreal-Maiquetía. Nos fuimos a Nueva York y, al llegar allí, cogimos un helicóptero para que nos trasladara a otro terminal, desde el cual finalmente saldríamos a Venezuela. El helicóptero despegó y, de pronto, ¡se vino abajo y se dio contra el piso! No nos pasó nada, pero nos llevamos un susto muy grande.

Unos años antes ya me había salvado una vez de morir en un accidente de helicóptero. Fue durante la Semana Santa de 1958. Me acuerdo de la fecha porque el general Pérez Jiménez había caído recientemente, el 23 de Enero. Mi familia tenía un apartamento en el club Mansión Charaima, en Caraballeda, y habíamos ido a pasar allí esos días de vacaciones. Los trabajos de construcción del Hotel Guaicamacuto, luego conocido como Macuto Sheraton, se habían interrumpido, y la guardia costera y Helicópteros de Venezuela, habían instalado un pequeño helipuerto en sus terrenos. Una vez más, de asomado, me fui para allá y comencé a hablar con los pilotos, con la fantasía de que me llevaran a pasear. A uno de ellos, el capitán Monagas, le hice gracia y me invitó a que lo acompañara en un vuelo de inspección. Tenía yo 12 años de edad. Ya en el aire, Monagas me pregunta en qué piso de Mansión Charaima está el apartamento de mi familia y lleva el helicóptero hasta allá para que yo saludara. Estaba feliz por pura echonería, por dármelas de una gran vaina con mis amigos. Cuando mi mamá me vio, desde el balcón, le dio terror y comenzó a hacer señas, desesperada, para que aterrizáramos. A pesar de eso, durante los días siguientes Monagas me sacó a pasear varias veces más. A mitad de semana, mamá me dijo: "¡Mire, no se le ocurra montarse en el helicóptero el Viernes Santo, ese día es sagrado y uno nunca sabe!". Yo no le hice caso y el viernes por la mañana armé un muñeco con almohadas sobre la cama y me escapé de la casa. Busqué a Monagas y él me invitó a montarme en su helicóptero, pero al rato me dijo: "Oye, Nelson, mejor bájate. Dentro de un rato viene mi hija y prefiero llevarlos a volar a los dos juntos". Yo me bajé y Monagas despegó. El helicóptero se enredó en unos cables de una torre de electricidad y el capitán Monagas y una persona que lo acompañaba fallecieron. A mí me dio un ataque de llanto, por supuesto, y cuando regresé a Mansión Charaima me echaron el regaño del siglo. El doctor César Naranjo Ostty, también socio del club, había ido temprano a mi casa para decirles a mis padres que había soñado que yo me moría en un accidente de helicóptero y que bajo ninguna circunstancia me permitieran salir ese día. Luego, cuando fue fiscal general, durante el primer gobierno del doctor Rafael Caldera, y nos encontrábamos por razones periodísticas, siempre refería el episodio del helicóptero. Su padre, el viejo Rafael Naranjo Ostty, y Morris Sierralta fueron los abogados defensores de Pérez Jiménez en el juicio que le siguieron por corrupción y peculado, a comienzos de los años sesenta.

Mansión Charaima es uno de esos tristemente célebres edificios de La Guaira que se derrumbaron con el terremoto del 67. Se vino abajo del piso 11 al 7. Mi familia no estaba allí en ese momento, por fortuna. Mamá había viajado con una tía a una isla del Caribe y regresaba ese día. Mi papá sintió el temblor cuando estaba yendo a recogerla al aeropuerto. Nos salvamos de presenciar aquella tragedia. De ver morir a gente amiga y de que nos pasara algo a nosotros. A mí, además, desde un punto de vista profesional, el hecho de estar en Montreal me protegió totalmente. De haber estado en Caracas hubiese tenido que trabajar como reportero y me hubieran salpicado las críticas que le cayeron encima a Oscar Yanes, que era mi jefe, en Venevisión. Oscar fue, precisamente, a Charaima y decía, por televisión: "Miren, aquí hay un bracito, aquí una piernita". Durante un tiempo la gente sintió repulsión por él y por las escenas que había mostrado. Oscar había sido el rey del amarillismo en el diario *Últimas Noticias*. Era un amarillismo por todo el cañón, que sin embargo daba muy buenos resultados porque el periódico se agotaba. Recuerdo un titular que decía que un perro había violado a una niña.

El terremoto de Caracas fue en julio. El 9 de febrero de ese mismo año 67 había habido uno, también muy bravo, en Colombia, en la localidad de Neiva, cerca de Bogotá. El viejo Diego Cisneros, propietario de Venevisión, se involucraba mucho en la política informativa del canal y ordenó que fuéramos a cubrir la tragedia colombiana. Entre otros, me mandaron a mí. Viajamos en una avioneta de la Pepsi Cola, empresa matriz del grupo que luego se llamaría Organización Cisneros. En Bogotá fui a entrevistar al alcalde de la ciudad, Virgilio Barco, que luego fue presidente de la República, en los tiempos de Jaime Lusinchi. Barco me dice:

"Pues mire usted, ¿se ha dado cuenta de cómo está la gente en las calles, hincados todos de rodillas, rogándole a Dios por Colombia? Si el terremoto hubiese sido en Venezuela, ya estarían diciendo que la culpa es del gobierno o de la oposición, y la angustia se les hubiese pasado de inmediato". Unos meses más tarde, cuando sucede lo que sucede en Caracas, me acordé mucho de eso porque, en efecto, a los días del temblor ya circulaban chistes al respecto. Recuerdo uno, muy cruel: «"¿Sabes tú quién es la reina del terremoto?" "¡No! ¿Quién?" "¡Grieta Garbo!"». Después me encontré con Barco en la embajada de Colombia en Washington y se lo conté. Me dijo: "Ah, ¿no ve?, es que los venezolanos siempre han tenido muy buen humor. Nos haría bien a los colombianos aprender de ustedes". Barco era un hombre muy duro. Durante su gobierno, Venezuela y Colombia estuvieron a punto de irse a una guerra cuando la crisis de la corbeta Caldas, en 1987.

Es una lástima lo que sucedió en Mansión Charaima. Tengo gratos recuerdos de mi juventud en ese edificio. De hecho, fue allí donde conocí al viejo Cisneros, a don Diego, también propietario. Me sentaba largos ratos a hablar con él, en la piscina. Me tuvo mucho cariño. También me hice amigo de sus hijos, sobre todo de Gustavo, con quien mantengo, hasta hoy en día, una buena amistad, a pesar de todas las vicisitudes. En un par de ocasiones Gustavo me ha postulado para el premio María Moors Cabot, que otorga la escuela de periodismo de la Universidad de Columbia. No me lo he ganado, pero quizá un día me lo den. Los premios no me quitan el sueño.

En entrevistas que te han hecho para la prensa has contado que fue también en Charaima donde conociste a Pérez Jiménez. ¿Veraneaba en La Guaira el dictador?

A Pérez Jiménez lo vi en varias oportunidades, pero no es correcto afirmar que lo conocí. Cuando nosotros, los Bocaranda, nos vinimos a vivir a Caracas, en el 47, nos instalamos en la avenida Panteón y, un tiempo más tarde, nos mudamos a la avenida Paramaconi, en San Bernardino. Miguel Otero Silva y su familia eran vecinos de la zona. Lo recuerdo porque Miguel Otero era una gran figura y uno sabía quién era. Pedro Gutiérrez Alfaro, ministro de Sanidad del régimen perezjimenista, estaba emparentado con Eloy Alfaro, un viejo expresidente del Ecuador, y logró que la dictadura bautizara con ese nombre una placita que estaba muy cerca de donde nosotros vivíamos. Fue inaugurada, con una gran pompa, por el propio Pérez Jiménez. Esa fue la primera vez que tuve noticias de él. Luego, en el 57, lo vi un domingo en Charaima, a donde lo habían invitado a tomarse unos tragos. Él había bajado a La Guaira para supervisar la construcción del Hotel Guaicamacuto. Ese día, mi hermano Alfredo, que tenía 5 años, se acercó a él y le desfiló. Fue algo que se le ocurrió a él solito. En ese entonces estaba muy de moda la parafernalia militar. Para donde uno volteara, veía una gorrita. Mi papá, que trabajaba en la proveeduría de las Fuerzas Armadas, se angustió mucho, no fuese cosa de que Pérez Jiménez viera aquello como una burla, pero no pasó nada. Pérez Jiménez estaba encantado. Yo también desfilé, pero no en Mansión Charaima sino en las muy conocidas Semanas de la Patria, dos veces. En una de ellas marchamos para el general Manuel Odría, dictador del Perú. Por cierto, aparezco en *Tiempos de dictadura*, el documental del cineasta Carlos Oteyza sobre el perezjimenismo. Cuando lo vi y me reconocí, pegué un brinco. Salgo en una escena fugaz, como miembro de la banda del colegio La Salle, tocando unos tambores.

El 1° de enero del 58, cuando la Aviación se alzó contra Pérez Jiménez, viví el acontecimiento con un gran interés. Una casa de por medio con la nuestra, en la avenida Paramaconi, vivían los Requena. Una de las hijas de esa familia estaba casada con un oficial de las Fuerzas Armadas, el coronel Francisco León D'Alessandro. Sin darnos mayores detalles, Francisco nos dijo que el 1° de enero subiéramos a las azoteas, porque él iba a volar sobre San Bernardino. Así fue. En plena insurrección, pasó sobre nosotros y dio una pirueta con el avión. Era uno de los alzados. Caída la dictadura, fue ascendido, y con el tiempo llegó a ser agregado militar de la misión venezolana ante la Organización de las Naciones Unidas (ONU), en Nueva York.

Resulta prácticamente imposible seguir un hilo cronológico estricto cuando se habla con Bocaranda. Tiene la cabeza llena de tantas anécdotas, nombres, curiosidades, detalles, que si uno lo obligara a regirse por un orden de currículo se perderían la gracia y la soltura de su conversación. Por lo demás, algunas veces ni el propio Nelson se acuerda con exactitud cuándo le ocurrió qué cosa, pero para llenar la laguna va de inmediato a Internet a buscar pistas históricas o le consulta por teléfono a algún pariente o compañero de aventuras. Otras veces es la memoria la que lo interrumpe para susurrarle datos y episodios de vida que no debe pasar por alto. Entonces Bocaranda se emociona, abre un paréntesis en su propia disertación y viaja a su antojo por los caprichosos tiempos del recuerdo.

Además de como reportero, yo me inicié en el mundo laboral como repartidor de una floristería que mamá tenía en la Alta Florida, Sinfonía Floral. Durante un tiempo, en la familia, vivimos de esa renta. Teníamos varios clientes en el centro de Caracas y en Fuerte Tiuna, a donde yo iba a entregar pedidos y cobrar facturas. Me daban 2 o 3 bolívares de propina. Así conocí a algunos coroneles que estaban en el poder. Claro que no había tantos militares como los hay ahora. Ni tampoco le ponían a uno tantas trabas ni había tantas dificultades para acceder a los ministerios, al Congreso, al mismo Fuerte Tiuna. Allá iba uno, con su carnet de periodista, y entraba como Pedro por su casa, sin mayores inconvenientes.

Estamos hablando de comienzos de la década de los años sesenta: 1961, 62. En 1963 tuve otro empleo que tampoco se me olvida. En agosto de ese año se inauguró, finalmente, el Macuto Sheraton, y la agencia de viajes Wallis, que quedaba en la avenida Urdaneta, nos contrató a una amiga y a mí, que hablábamos muy bien el inglés, para servir como guías de invitados internacionales que venían a conocer el hotel. Yo tuve la suerte de que me tocó atender a Robert Young, estrella de la televisión estadounidense, famoso por su papel como protagonista de la serie *Father Knows Best*, "Papá lo sabe todo".

Durante unos días estuve con él, para arriba y para abajo, y eso me permitió hacer relaciones públicas, conocer a periodistas, agentes de viaje, personalidades de la sociedad, etcétera. Además, me gané 50 dólares, con los que me compré un cartón de cigarros Winston que no me fumé. Encendí el primero, le eché un jalón y se me quitaron las ganas. ¡Y eso que yo fumaba, escondido, en el colegio La Salle, junto con algunos compañeros! Un día mi papá me descubrió porque llegué a la casa hediondo a humo y me dijo que con la plata que él me daba yo no iba a comprar cigarros, que cuando me ganara mi dinero hiciera con él lo que yo quisiera. Antes, no. Pues me gané mis reales, compré los Winston y dejé de fumar.

Robert Young no fue la primera estrella de televisión que conocí. En 1953, recién inaugurada Radio Caracas Televisión (RCTV), aparecí como extra en el programa "Kit Carson", cuyo anfitrión era el comediante Guillermo Rodríguez Blanco, célebre por su interpretación del personaje Julián Pacheco, el galán de la Charneca. En "Kit Carson", Rodríguez Blanco hacía de vaquero y aparecía en medio de unas praderas. Yo lo veía por televisión, desde la casa, y pensaba que las praderas eran de verdad. Cuando llegué a Radio Caracas y entré al estudio, me sorprendí al ver aquel montaje.

Al año siguiente, en 1954, conocí a Renny Ottolina. Renny tenía un programa de concursos que se llamaba "Tómalo o Déjalo", en Televisa, el canal que en 1960 pasaría a ser Venevisión. Como Televisa quedaba cerca del colegio La Salle, un día fui a inscribirme para participar en el programa y me aceptaron. El juego consistía en que Renny te hacía 5 preguntas y tú te ganabas 100 bolívares por cada respuesta correcta. Antes de comenzar la transmisión, me dijeron que si llegaba a la quinta pregunta debía retirarme, ya que nadie podía ganarse todo el dinero en ese momento. Cuando pasé la cuarta, me sentí tentado de seguir adelante porque iba invicto. Renny me preguntó: "¿Toma o deja la quinta pregunta?". Y yo, callado. Renny insistió: "¡¿Toma o deja la quinta pregunta?!", y me dio una patada por debajo de la mesa. Y me retiré. Hubiera ganado, porque la pregunta final era bien pendeja: "¿Qué es un archipiélago?".

¿Fuiste amigo de Renny?

Mucho. A comienzos de los setenta, cuando Renny salió de RCTV, Martín Díaz Solís y yo logramos que lo contratara la Cadena Venezolana de Televisión (CVTV), que era como se llamaba la actual Venezolana de Televisión cuando era un canal privado. Díaz Solís era economista y gerente de la estación. La relación entre Renny y RCTV se había terminado por un desacuerdo económico que él tuvo con Marcel Granier y Peter Bottome, directivos de Radio Caracas. Renny se había convertido en un monstruo mediático y del dinero, y salieron de él. En el 74, cuando su hija Rhona Ottolina sufrió el accidente que la dejó discapacitada, yo estaba en Nueva York y, por solicitud del presidente Carlos Andrés Pérez, fui con el cónsul Basilio Quiñones a Chicago para gestionar el viaje a Caracas de un médico especialista que atendería a Rhona.

Años antes, bien entrados los sesenta, en varias oportunidades algunos amigos y yo fuimos a casa de Renny. O salíamos a comer con él. Alguna vez me llevó en su Rolls Royce descapotable. Hay algo que la gente no sabe, y es que Renny era un hombre muy solo. Nosotros hablamos el día del accidente en el que perdió la vida, el 16 de marzo de 1978. Como en ese momento yo trabajaba en Viasa, la aerolínea, me llamó para preguntarme si Reneé, su esposa, podía enviar a mi nombre, de Miami a Caracas, unos documentos que él necesitaba. Le dije que sí, desde luego. Esa tarde él viajaba, en vuelo privado, a Margarita, para regresar al día siguiente. Me dio las gracias y me aseguró que, de vuelta, recogería los documentos. No fue así. El avión donde iba Renny despegó del aeropuerto de Maiquetía, vía Porlamar, y se estrelló en el Ávila, cerca del pico Naiguatá. Todavía hoy en día se especula mucho sobre ese accidente. La leyenda urbana dice que a Renny lo mandaron a matar porque se había lanzado como candidato presidencial y querían evitar que ganara las elecciones de diciembre del 78, pero yo tengo serias dudas al respecto. No solo porque en ese momento Renny no representaba, sinceramente, una amenaza para nadie, sino porque tengo información que apunta a que la avioneta fue preparada para estrellarse dado que en ella viajaría el polémico político y periodista Jorge Olavarría, no Renny… ¡Renny era extraordinario! En 1962, yo entrevisté a Paul Anka en su programa más famoso de RCTV, "El Show de Renny", que era un fenómeno.

¿Cómo que la avioneta donde se estrelló estaba preparada para Olavarría?

Me parece que es algo que nunca se ha dicho. No sé si la gente recordará que, en ese mismo año de 1978, Jorge era director de la revista Resumen, y que desde allí fustigaba sin piedad al gobierno e, incluso, al propio presidente Pérez. Ese mes de marzo, de hecho, estaba escondido, porque le habían dado el pitazo de que debía cuidarse. Manuel Molina Gásperi, director de la Policía Técnica Judicial (PTJ), le informaba a través de Carlos Olavarría, primo de Jorge y piloto. Carlos y Molina Gásperi habían estudiado juntos y eran compinches. Le decía: "Mira, dile al primo que por ahora se quede tranquilo. Sabemos que está escondido donde los Vollmer, sabemos que está en casa de Jimmy Alcock", etcétera. Jorge no bajó el tono de sus artículos, que se hicieron cada vez más feroces, y un día la situación llegó al límite. Molina Gásperi se comunicó con Carlos y le dijo que Jorge corría peligro y que tuviera mucho cuidado. Es cuando Carlos le propone a Marian, la esposa de Olavarría, que hagan creer que Jorge está planificando escapar en el avión que él piloteaba. A todas estas Olavarría había logrado que el gobierno le perdiera la pista. El 16 de marzo, Marian, a quien una unidad encubierta de la Dirección de los Servicios de Inteligencia y Prevención (Disip) seguía para todas partes, se encontró con Carlos en una calle de Las Mercedes, allí donde está el restaurante El Aranjuez, y pasó una maleta de su carro al carro del primo. Era el *bluff*. Subieron a la oficina de Carlos, que quedaba allí mismo, en un edificio contiguo, y al rato Marian lo escuchó afinar detalles, por teléfono, con Renny, para un viaje que realizarían esa misma tarde. Le dijo: "¡Ah! ¿Es que tú sí vas a viajar hoy?". Y Carlos le contó: "Me llamó Renny porque el avión en el que él suele viajar está averiado y me pidió que lo lleve a Margarita". Marian salió de la oficina y comenzó a dar vueltas, en el carro, por Caracas, para tratar de despistar a la unidad de la Disip que la espiaba, buscar a Jorge en el lugar donde estaba escondido y llevarlo a la embajada de Nicaragua, que había aceptado brindarle asilo político. Unas horas más tarde, Marian escuchó que el avión donde Renny viajaba a Margarita había desaparecido.

Pudo haber sido una mera casualidad, pero hay más. Hace muchos años, llegué yo a casa de Olavarría y me encontré con que estaba de visita un hombre que todavía está en el gobierno chavista y que tiene un gran poder: el alcalde Freddy Bernal. A él lo había llevado a casa de Jorge uno de los primeros financistas que tuvo Chávez, Nedo Paniz. Cuando se fue, me quedé con Olavarría y me contó que estaba asombrado porque Bernal le había dado una información que confirmaba que el gobierno de Pérez había envenenado el avión de Carlos porque pensaban que quien viajaría era él y no Renny. Supongo que Bernal tenía acceso a algunos secretos de la policía. A esto se suma el hecho de que un miembro del Grupo de Apoyo Táctico Operativo, mejor conocido como Grupo GATO, el comando policial encargado para dirigirse al lugar del siniestro, les confió a los Olavarría que la orden que habían recibido era hallar la avioneta y desaparecer cualquier evidencia que arrojara pistas sobre el accidente. Para dar unos días de ventaja a estas gestiones, la búsqueda del avión se comenzó a hacer de Margarita hacia Maiquetía, y no al revés, cuando se sabía que la nave había perdido contacto al poco tiempo de despegar y que, por lo tanto, se había estrellado en la montaña, no en el mar.

¿Por qué Olavarría no hizo la denuncia?
Entiendo que porque quiso evitar causar un dolor mayor en la familia. Carlos era su primo hermano. En cualquier caso, se trata de una información muy importante, un cangrejo que todavía nadie ha resuelto. No estaría de más que algún periodista se decidiera a llegar al fondo del asunto. Lo que acabo de contar es lo que sé.

¿Tú trabajaste con Renny?
No. En la Escuela de Periodismo teníamos como profesor a Carlos Delgado Dugarte, que era una gran figura en *El Nacional*. Para que pudiéramos hacer reporterismo de calle, nos dio a sus alumnos unos carnets universitarios de prensa, gracias a los cuales nos daban acceso en casi todas partes. Cuando Paul Anka vino a Venezuela, en noviembre del 62, Delgado Dugarte me asignó ir a entrevistarlo a "El Show de Renny", en RCTV. Fui, le pregunté cuatro pistoladas en inglés y escribí la crónica. Un día, mucho tiempo después, me lo encontré en la oficina de turismo de Venezuela en Nueva York. Allá fue Paul Anka, se detuvo delante de una pared de la cual colgaban unas máscaras de los Diablos Danzantes de Yare y comenzó a tomarles fotos. Me le acerqué, le dije que lo había entrevistado en "El Show de Renny", hablamos de Venezuela y nos hicimos un retrato. Lo mismo me pasó con Diana Ross, a quien había conocido cuando The Supremes se presentaron, también, en el programa de Renny. Años más tarde, Bolivia y yo fuimos a comernos unas hamburguesas en el PJ Clarke's, en Manhattan, llegamos y allí estaba Diana Ross. Cuando fue a pagar, se dio cuenta de que había olvidado el

monedero. La saludé y le brindé la cena. Venezuela fue el primer país que trajo a América Latina a una cantidad impresionante de grandes artistas, y por eso ellos se acordaban de nosotros. Era un tiempo en el que los canales de televisión tenían dinero de sobra.

Delgado Dugarte fue un reportero de los grandes. Era un periodista encantador, humilde, decentísimo. Yo siempre he dicho que mis tres maestros en el periodismo fueron el padre Ancízar Mendoza, que me inculcó las reglas éticas del oficio, Oscar Yanes, gracias a quien cultivé el olfato para la noticia, y Delgado Dugarte, que me lanzó al reporterismo de calle. Él después se fue a trabajar como director de Relaciones Públicas del Ministerio de Educación, cuando era ministro el buen amigo Reinaldo Leandro Mora. Yo estaba comenzando en Radio Aeropuerto y fui a verlo para pedirle que me ayudara a conseguir una entrevista con el gobernador de Caracas, Alejandro Oropeza Castillo, el papá de Isa Dobles, a quien mi jefe me había puesto en pauta. Delgado Dugarte me facilitó el teléfono del despacho, llamé y me dieron la cita. Fui a la Gobernación y, cuando entré a la oficina del doctor Oropeza, él me vio y, en voz muy baja, para que yo no lo escuchara, le preguntó a Lola Plaza, su secretaria: "Lola, ¿quién es este carajito que se me metió aquí?". Lola le respondió que era el periodista de Radio Aeropuerto que estaban esperando y el hombre cambió de actitud, se levantó y me saludó, con voz enérgica y con entusiasmo: "¡Caramba, periodista, qué bueno verlo por aquí! ¡Bienvenido! ¡Pase, siéntese!". Fue mi primera entrevista para la radio. Oropeza no concebía que alguien tan joven fuese periodista.

Yo no me había graduado, pero ya ejercía. Era 1963. Tenía 18 años. Oropeza y yo nos caímos muy bien. Tanto, que fue él quien me presentó a Rómulo Betancourt, que en ese momento era el presidente. Fue en un evento que se celebró en un recinto ferial por los lados de La Vega, muy cerca de la hacienda de la familia Herrera Uslar, en Caracas. Como yo iba caminando al lado de Oropeza, pude atravesar todo el aparato de seguridad hasta llegar a Betancourt. Estando ya muy cerca de él, de pronto, se fue la luz y un grupo de guardias rodeó de inmediato al presidente. Yo, que estaba ahí por carambola, me eché un susto de padre y señor nuestro porque no sabía si se trataba de otro atentado. En junio del 60 había ocurrido el de Los Próceres, muy grave, donde Betancourt fue herido en el rostro, se le quemaron las manos y por poco pierde la vida. Era la época de la guerrilla y las amenazas eran frecuentes. En medio de la confusión, en la oscuridad, se escuchaba la inolvidable vocecita de Betancourt, que decía: "¡Estos coños de madre no dejan de joder, carajo!". Al final, no pasó nada. Era una falla eléctrica.

En diciembre del 63 comencé en Venevisión, por invitación de Oscar Yanes, que era el jefe de Prensa. Durante los primeros meses trabajé en calidad de pasante, escribiendo las gacetillas que se mandaban a los periódicos para informar sobre las novedades del canal. Dividía mi tiempo entre la Universidad Católica, Radio Aeropuerto y Venevisión. Luego, Oscar me metió en el grupo de reporteros y comencé a aparecer en pantalla, dando reportes y haciendo entrevistas, siempre en la calle.

¿Cuáles fueron tus primeras entrevistas para la televisión?
La primera fue una de esas que solo se le ocurrían a Oscar. El Negro Urdaneta, director de *Últimas Noticias*, había publicado en portada, por aquellos días, a una mujer que se había hecho famosa en Venezuela por usar el monokini, un traje de baño que no tenía sostén: consistía solo en una pantaleta. Oscar vio la noticia y me dijo que buscara a la modelo y la entrevistara. Y así hice. Ella se sentó de espaldas a la cámara de Venevisión y yo de frente. Tuve que hacer un gran esfuerzo para verla a la cara mientras hablaba porque la tentación de mirarle las tetas era muy grande. Hoy en día no sería tan novedosa la noticia, pero en aquel momento sí lo era. Ese fue mi debut en la televisión, con una mujer semidesnuda.

La segunda entrevista que hice fue a Geraldine Chaplin, la hija de Charles Chaplin, en el Hotel Tamanaco. Geraldine había venido a Venezuela con quien entonces era su novio, el cineasta español Carlos Saura. Fue muy amena. En cierto momento, se levantó y nos dijo a todos: "Ya vengo, voy a hacer el pis, ¿me permitís que vaya a hacer el pis?", con absoluta naturalidad, algo que nos hizo mucha gracia porque en Venezuela no estábamos acostumbrados a que una mujer dijera que iba a orinar, como si nada, en vez de preguntar, por ejemplo, dónde había un baño.

Al poco tiempo, Yanes comenzó a enviarme fuera del país como corresponsal del canal, para cubrir acontecimientos internacionales. Mi primer viaje fue a Trinidad, que recién se había independizado, en 1962, y donde se estaba produciendo un levantamiento en contra del presidente Eric Williams. Nos mandaron en una avioneta de los Cisneros, que manejaba el capitán Ochoa Tücker, el piloto de don Diego. En Puerto España, mientras grabábamos imágenes de las manifestaciones, un guardia militar me agarró y me puso una ametralladora en el cuello para obligarnos, al camarógrafo y a mí, a que apagáramos la cámara. Uno de los sustos memorables de mi carrera.

¿Es cierto que te echaron unos tiros la noche del día que mataron a Kennedy?

Totalmente cierto. ¡Otro susto! A Kennedy lo asesinaron el 22 de noviembre de 1963, en Dallas. Yo todavía estaba en Radio Aeropuerto. Aún no había comenzado a colaborar con Venevisión. Al mediodía, estábamos almorzando en el restaurante Porlamar, en Chacaito, Ana Luisa Llovera, Rubén Chaparro Rojas, Rosita Regalado y yo, cuando nos enteramos de la noticia. Interrumpimos la comida y cada uno salió por su lado, con su grabador en mano, a trabajar. Yo me fui a la residencia del embajador de los Estados Unidos en Caracas, en la Alta Florida, en la misma urbanización donde vive Sofía Imber, a pocas cuadras de donde hoy está Globovisión, y a todo el que llegaba para dar el pésame lo entrevistaba y mandaba el audio para la radio, con un mensajero. Mis jefes me dijeron que tenía que seguir recopilando testimonios, y como yo sabía que Oscar Yanes había montado un operativo especial en Venevisión, en la noche se me ocurrió ir al canal con la intención de cazar gente. Para cortar camino, tomé una vía alterna, de tierra, prácticamente desconocida, hoy la Cota Mil, sin considerar que, para caer en Venevisión, primero tenía que pasar por la sede de la Comandancia General de la Aviación. Cuando estaba llegando allí, unos guardias me encandilaron con un faro y dispararon al aire para que frenara el carro. Las extremas medidas de seguridad se debían a la razón ya conocida: la guerrilla no daba descanso al gobierno y había que protegerse de todo lo que resultara sospechoso. En diciembre de 1961 John F. Kennedy se había convertido en el primer presidente de los Estados Unidos en hacer una visita oficial a Venezuela. Era el hombre de la Alianza para el Progreso y nuestro país había roto relaciones con la Cuba revolucionaria, que odiaba a Betancourt. Me bajé del carro, un Volkswagen, con las manos arriba, y grité: "¡Soy periodista, soy periodista! ¡Voy a Venevisión!". Y me salvé.

REPORTERO AL ACECHO

Un día, de vacación en la playa, le sonó el timbre de uno de sus teléfonos. "Mira, Bocaranda, coño de madre, estás jodido, revisa tu iPad". Cuando Nelson mira la tableta electrónica, se da cuenta de que alguien, a distancia, ha logrado intervenirla. De inmediato, se pone en marcha, logra averiguar quién es el hacker y, por una vía de mensajería alterna, lo contacta y comienza a hablar con él. Al principio la conversación es pedregosa. Bocaranda está en una situación que compromete seriamente su seguridad y es un reto mantener la calma. Pero a medida que van y vienen los mensajes, empieza a surgir entre ellos una cierta cordialidad, se diría incluso que camaradería. Una hora o dos más tarde, ya está el hacker dándole consejos a Nelson para que se proteja de futuras invasiones y, finalmente, le propone un acuerdo: él le va a devolver los servicios que le ha intervenido con la condición de que, cuando muera el presidente Chávez, ya entonces convaleciente, Bocaranda lo llame y se lo diga.

Y cuando Chávez murió lo llamé y se lo dije: "Acaba de suceder. Cumplido el acuerdo". Y se acabó. Ese muchacho me dio muy buenos consejos y se los agradezco, aunque desde luego es una historia que parece mentira.

Pedro León Zapata decía que en un país donde las cucarachas vuelan, como ocurre en Venezuela, cualquier cosa es

posible. ¿Cómo es eso de que tú apareciste en WikiLeaks, la mayor filtración de documentos confidenciales de la historia?
Tengo ese honor. Estaba yo en Israel, en 2011, de viaje con Bolivia, y me llamaron para decirme que habían salido a la luz unos nuevos cables de WikiLeaks y que en uno de ellos, de 2009, me mencionaban. Era un documento confidencial que había enviado la embajada de los Estados Unidos en Caracas al Departamento de Estado. Yo me había enterado de que unos líderes de la guerrilla colombiana se habían reunido, en el Hotel Meliá, con altos funcionarios del gobierno de Chávez. Me encontré con el embajador estadounidense Patrick Duddy, se lo conté y le dije que iba a revelarlo en mi columna de prensa unos días más tarde. A la embajada le pareció relevante la información y envió un informe donde citaban mi conversación con Duddy y fragmentos de mi artículo. Eso fue todo, pero dio pie para que el chavismo me tildara de agente de la CIA, espía de Washington, traidor a la patria. Cuando uno asiste a cocteles en las embajadas, es natural que converse con el personal diplomático, les escuche los cuentos y eche uno los que tiene. Así se mueve la información en todas partes.

¿Alguna vez el gobierno de los Estados Unidos te contactó para informarse sobre la salud del presidente Chávez?
No les hacía falta. Siempre estuvieron al día. Washington tenía información de primera mano, como es de suponer. Había vínculos directos con fuentes cubanas.

¿Con fuentes cubanas gubernamentales?
Sí.

Pero eso es gravísimo. Significa que La Habana le informaba a la Casa Blanca.

¿Y cuántos años tienen los gringos conversando con sus pares cubanos? Tal vez la novedad sea que hubo un momento en que algunos factores estadounidenses, y aquí ya no me refiero necesariamente al gobierno, a pesar de que sabían con exactitud cuál era la situación de Chávez, dejaron correr rumores para confundir al chavismo. Hubo medios de allá que especularon con información que no era cierta, o por lo menos no totalmente cierta. Y eso no solo ocurrió en los Estados Unidos. En Venezuela, a través de Twitter, hicieron fama varios personajes que lo único que hacían era publicar disparates. Con uno de ellos, cuya identidad prefiero no revelar, estuve en contacto al principio y llegué a darle información. Cuando comencé a ver que juntaba datos que eran falsos con los que yo le suministraba, tuve una discusión con él y corté de inmediato la comunicación.

¿Por qué decidiste compartir información con él?

Porque no me daba abasto. Yo recibía mucha información y me pareció pertinente que saliera a la luz por otras vías, pero en ese caso no funcionó. A lo largo de más de 50 años de carrera, uno ha fabricado una muy confiable red de informantes. Ellos han estado a mi lado cada vez que he necesitado armar un rompecabezas noticioso. Lo he dicho alguna vez: más que un trabajo de hormiga, este es un trabajo de araña, porque uno tiene que tejer hilos y atar cabos sueltos para llegar a la verdad. Yo corroboraba todos y cada uno de los datos que llegaban a mí para luego presentarlos con la mayor seriedad posible. Chávez estaba enfermo y yo no iba a aparecer en la escena como un buitre en torno a aquella situación. Dado el *blackout* informativo, era de esperarse que medios nacionales y extranjeros solicitaran entrevistas para saber qué estaba sucediendo. Rechacé todas las propuestas. Ni siquiera en mi programa de radio hice mención de datos sensibles. Me limité a publicar la información en mi columna del diario *El Universal* y en mi página web de Runrun.es. Nadie puede decir que le falté el respeto al presidente ni a sus familiares. El mismo Chávez lo reconoció.

¿Dónde, cuándo y cómo lo reconoció?

Pocos días después de su muerte, recibí una llamada en la que me pusieron al teléfono a una persona que quería decirme algo. Esa persona me comunicó que el presidente le había dicho que yo había manejado con honestidad la información que recibía sobre su estado de salud y que, hasta el final, estuvo agradecido. Era alguien muy cercano a él. Supe también que Fidel Castro le dijo a Chávez, ya enfermo: "Oye, yo conozco a Bocaranda. Él estuvo aquí, en La Habana, en el 99, en una rueda de prensa de 12 horas que yo di, y además me entrevistó en Caracas, hace años, cuando la toma de posesión de Carlos Andrés. Deberíamos invitarlo para que venga y hable contigo". El comandante agregó, a modo de broma: "¡Ese Bocaranda tiene más contactos que el G2!". Se refería, claro, el temible servicio de inteligencia del gobierno cubano. Les dejé saber que estaba dispuesto a ir, pero Chávez se agravó y el encuentro no ocurrió. Y lo lamenté. Me hubiera gustado mucho conversar con el presidente y con Castro en medio de una circunstancia tan brava e impredecible para la historia venezolana.

Como esa, hubo otra reunión que tampoco fue posible, a pesar de todos los esfuerzos. Cuando Chávez confirmó que tenía cáncer, me encontré en la sede de Unión Radio a John Caulfield, encargado de negocios de los Estados Unidos en Venezuela. Había ido a una emisión del noticiero a propósito de que, unos días más tarde, cesaría en sus funciones diplomáticas en nuestro país. Le pedí que se quedara para entrevistarlo en mi programa, en Éxitos FM, y aceptó. En vivo, al aire, Caulfield comentó que él también había sufrido cáncer en varios órganos, con recaídas, y que sentía empatía por Chávez, a quien le había enviado una carta solicitándole una reunión porque quería verlo para contarle su experiencia y darle ánimos, pero que no había recibido respuesta. Al rato, ya terminado el programa, me llamó por teléfono un oficial que trabajaba con el presidente para pedirme el favor de averiguar a dónde había enviado Caulfield la carta. Hice la gestión y descubrí que la comunicación del encargado de negocios había sido remitida al despacho de Nicolás Maduro. Se lo comuniqué al militar, él le hizo seguimiento al asunto y se enteró de que el asistente de Maduro había engavetado la carta. Al saber esto, Caulfield expresó su intención de retrasar su regreso a Estados Unidos siempre y cuando pudiese reunirse con Chávez, pero por esos días el presidente tenía en agenda un viaje a Cuba y no se vieron. Finalmente, Chávez le envió a Caulfield una carta de agradecimiento a la Sección de Intereses Especiales de los Estados Unidos en La Habana, donde él asumió funciones.

Chávez se entregó a Cuba. Se entregó a Fidel. Era un asunto que discutían, entre sí, los demás presidentes de América Latina. Incluso algunos que eran sus aliados no entendían aquella relación de absoluta dependencia. Lo discutían cuando Chávez no estaba presente, por supuesto. Les resultaba especialmente insólito que se hubiera ido a tratar la enfermedad a La Habana, en vez de optar, por ejemplo, por el Hospital Sirio Libanés de São Paulo, donde se trató Lula Da Silva. Cuando surgió ese ofrecimiento, la cancillería venezolana le respondió al gobierno de Brasil que Chávez aceptaba tratarse allí, pero exigieron unas condiciones que claramente tenían la intención de que el propio hospital se negara a recibirlo. Pedían tres pisos completos para el paciente y otras locuras, como sacar del lugar a todos aquellos pacientes de nacionalidad gringa. Absurdo. El presidente también recibió ofertas de Francia, España e incluso de los Estados Unidos.

¿Consideró la posibilidad de tratarse en los Estados Unidos?
No, pero el gobierno estadounidense tuvo el gesto de comunicarle que estaban a la orden para lo que él necesitase. Posibilidades no le faltaron. Las desechó todas para irse a Cuba, con Fidel, que lo doblegó. Era como su padre.

Históricamente, durante la democracia, fuiste testigo de que las relaciones entre los presidentes de los Estados Unidos y los de Venezuela eran cordiales, en general. Fue así hasta que Chávez llegó al poder. Conociste a Kennedy, a Johnson,

a Nixon, a Ford, a Carter, a Reagan, a Bush padre, a Clinton... ¡De milagro también a Washington!

A Kennedy lo conocí cuando vino a Venezuela, en el 61, invitado por Betancourt. Yo estaba estudiando en la Escuela de Periodismo de la UCAB y Delgado Dugarte nos había dado el famoso carnet universitario de prensa que nos permitía hacer trabajo de calle. Como quería cubrir la visita del presidente, fui a acreditarme como reportero en la embajada de los Estados Unidos, que en aquel tiempo quedaba en La Floresta, de modo que el sábado 16 de diciembre allí estaba yo, periodista jovencísimo, listo, a la espera de la llegada de Kennedy, ansioso de verlo y preparado para hacerle una foto. Para eso me había llevado una camarita Kodak Starmite, de esas que tenían una bombilla inmensa para el flash y que ahora vemos mucho en las películas. Kennedy llegó, dio un discurso y cuando terminó, en medio del ajetreo, me colé como pude para alcanzarlo, le metí la cámara en la cara y le hice un retrato, con la mala suerte de que lo encandilé totalmente. Su reacción inmediata fue darme un coscorrón y decirme: "Oh, boy!". Y siguió de largo. Yo me fui detrás de él y durante un buen rato lo único que hice fue hacerle fotos a todo lo que se me pusiera enfrente. Fotografié incluso la limusina en la que se trasladaba, la misma en la que iban a asesinarlo casi dos años después.

La mañana del día siguiente, el domingo 17, me fui a la quinta Los Núñez, en Altamira, donde vivían Betancourt y doña Carmen Valverde, su primera esposa. Kennedy había preferido alojarse allí en vez de en la residencia del embajador de Estados Unidos en Caracas, cargo que desempeñaba el farmacéutico puertorriqueño Teodoro Moscoso. Muy temprano en la mañana, el presidente había ido al Panteón Nacional, con Betancourt, para rendirle honores al Libertador, pero Jackie se había quedado en Los Núñez. Por ser yo un carajito de 16 años, pichón de reportero, el resto de los colegas me cedieron el honor de que, cuando Jackie saliera de la casa, le entregara un ramo de flores que le habían comprado. ¡Era encantadora! La volví a ver, en Nueva York, en una fiesta de Olimpíadas Especiales, y bailé con ella.

Para la visita de Kennedy al país, la presidencia de la República le encargó a quien era gerente del Hotel Maracay, Franco de Andreis, que le preparara un desayuno criollo bien cargado y de los buenos: arepas, caraotas, carne mechada y tajadas de plátano frito, además de frutas tropicales. La comida debía darse en Maracay porque, el 16 de diciembre, Kennedy viajaba al sector aragüeño de La Morita para encontrarse con unos campesinos de la zona a quienes les serían entregadas unas tierras, en un acto de la incipiente Reforma Agraria. En el vuelo en helicóptero de regreso a Caracas, a Kennedy le dio un cólico estomacal muy bravo. ¡El desayuno le había caído como una bomba! Fue tal la situación que Betancourt tuvo que ordenarle al piloto que se desviara a la base de Boca del Río, que estaba cerca. Cuando aterrizaron, salió del helicóptero y le dijo, casualmente al coronel Francisco León D'Alessandro, el encargado de la base: "¡Oficial, lleve a Kennedy a un baño de inmediato porque se caga!". Kennedy fue al baño acompañado por su médico y por un edecán que nunca se separaba de él, un militar que cargaba un maletín con todas las claves para desatar un ataque nuclear, en caso de que se presentara una emergencia bélica mundial. Eran los tiempos de la Guerra Fría. 20 minutos más tarde, Kennedy regresó al helicóptero con el estómago repuesto, o medio repuesto. En la fiesta en la que, años más tarde, bailé con Jackie, ella mencionó el incidente, sin dar detalles, y dijo que era una muestra de que ella y su exesposo eran tan humanos como todos los mortales…

¡Pero no todos los mortales aguantan unas caraotas negras!

¡Es un hecho comprobado nada menos que por John F. Kennedy! Cuatro años después de esa visita, en diciembre de 1965, vino a Venezuela su hermano el senador Robert Kennedy, a quien conocí bastante. En Caracas se entrevistó con el presidente Leoni y con miembros de los partidos políticos. Yo trabajaba en Venevisión y participé, detrás de cámaras, en un programa especial, moderado por Oscar Yanes, en el que Kennedy conversó con líderes estudiantiles venezolanos. Previamente, como hablaba inglés, y para asegurarnos de que el día convenido el senador llegara a tiempo al canal, me habían nombrado como su agregado de prensa, de manera que pude departir con él. Era un hombre parco, pero se entusiasmaba cuando uno le preguntaba por su hermano. Quizá por eso el hecho más significativo de su visita al país fue su asistencia al barrio caraqueño Ciudad Pagüita, cerca de Catia, que ese día fue rebautizado como Barrio Kennedy, en honor al expresidente. Antes de irse, Robert me regaló un pisacorbatas que llevaba grabada una imagen de la lancha torpedera PT-109, de la Armada de los Estados Unidos, cuyo último comandante había sido John F. Kennedy, durante la Segunda Guerra Mundial. El senador Kennedy acabó como su hermano: en junio de 1968, en plena campaña para la candidatura presidencial, lo asesinaron. Pudo haber llegado a la Casa Blanca, pero un tiro se lo impidió, desgraciadamente.

Tras la desaparición de John Kennedy, siendo presidente encargado, Lyndon Johnson se lanzó como candidato del Partido Demócrata. Fue en ese momento cuando lo vi por primera vez, en 1964. Ello fue posible gracias a que la embajada de los Estados Unidos en Caracas mandó a un grupo de 9 estudiantes de periodismo de la UCAB para que cubrieran la campaña electoral: a mí entre ellos. En un principio no me habían seleccionado, pero a última hora un compañero informó que no podía viajar y me llamaron. Viajamos por mar en la motonave "Mérida", de la Compañía Anónima Venezolana de Navegación, desde La Guaira hasta Houston, y en Houston comenzamos un recorrido que nos llevó a varias ciudades. Fuimos a Los Ángeles, Las Vegas, Nueva York, Chicago. Cuando asistimos a actividades de Johnson y de Barry Goldwater, su contendor, nos montamos en los autobuses de prensa de ambos candidatos. Visitamos la Casa Blanca. Fuimos a la escuela de periodismo de la Universidad de Missouri, dado el vínculo que tenía con ella el padre Ancízar. A lo largo de varias semanas anduvimos de aquí para allá, gozando aquella experiencia.

Al final, Johnson venció a Goldwater, lo que le permitió mantenerse en el poder hasta 1969. Lo volví a ver en abril del

67, en Punta del Este, Uruguay, a donde Venevisión me mandó como corresponsal para un encuentro entre mandatarios del continente. Por esos días yo iba a cumplir 22 años de edad. Lo pienso ahora y me resulta insólito. En el vuelo de Varig de Caracas a Río de Janeiro, donde debía hacer escala antes de seguir a Punta del Este, me encontré con Juscelino Kubitschek, que venía de Miami. Kubitschek era un expresidente brasileño muy célebre, sobre todo por haber sido el constructor de Brasilia, la nueva capital, pero hasta entonces nadie le había hecho caso en Venezuela, no sé por qué. Conversé con él y aproveché para pedirle una opinión sobre la conferencia uruguaya en puertas. Esa entrevista fue uno de los primeros materiales que el camarógrafo que me acompañaba y yo logramos recopilar para nuestro reportaje. Uno como periodista tiene que estar siempre al acecho, pendiente de lo que hay alrededor. Para encontrar una noticia no siempre hace falta ir demasiado lejos. A veces la primicia está a la vuelta de la esquina.

El objetivo de la cumbre en Punta del Este era lograr acuerdos comerciales y de seguridad en el continente. Johnson, por supuesto, era uno de los protagonistas, dada la influencia y los intereses de los Estados Unidos en América Latina. Cuando pude, fui adonde estaba, saqué una tarjetica de presentación y le dije: "Mucho gusto, señor presidente, mi nombre es Nelson Bocaranda. Cuando yo era estudiante cubrí su campaña electoral. Me gradué hace un par de años. Me gustaría mucho hacer un posgrado en los Estados Unidos". Él me saludó con amabilidad, se metió la tarjetica en el bolsillo y siguió adelante. Unos meses más tarde, me llamó el embajador estadounidense en Caracas, Maurice Bernbaum, ¡y me dijo que la Casa Blanca me había otorgado una beca! Yo jamás me imaginé que Johnson me iba a parar bola, pero lo de ser un asomado volvió a funcionar. En agosto de 1967 renuncié a mi empleo en Venevisión y en septiembre me fui a estudiar a los Estados Unidos.

¿En qué consistió el posgrado?

Desde un principio a mí me gustó la televisión. No sentía mucho interés por la prensa escrita. Me gradué de periodista el 23 de julio de 1965, hace ya más de 50 años, que se dice rápido pero es bastante tiempo. Mi trabajo final para optar al título trató, de hecho, sobre el medio televisivo. No está de más decir que fue una investigación hecha a cuatro manos. Mi compañero fue Fernando Delgado, el papá de Maite, que estaba por nacer. Él era mayor que yo y se desempeñaba como jefe de Redacción de El Observador Creole, el noticiero de Radio Caracas Televisión. Nos hicimos panas, lo que me permitió ser testigo del nacimiento de Maite y en alguna ocasión estuve allí cuando le cambiaron los pañales. ¡Por eso siempre que la veo le digo que ese culito lo conozco yo! Por alguna razón que no me explico, he tenido la suerte de conocer a personas que luego llegan muy lejos en la vida, gente buena, como Maite.

El posgrado duró cuatro meses, de septiembre a diciembre, un período emocionante e intenso, de aprendizaje diario. Me residencié en Syracuse, estado de Nueva York, en casa de un pastor protestante y su señora, pero viajaba constantemente a otros lugares del país. La idea era que siguiera un programa, previamente preparado por la escuela de periodismo de la Universidad de Syracuse, que me permitiera entender, paso por paso, cómo funcionaba la televisión en los Estados Unidos. Debía conocer no solo el departamento de prensa, sino también las áreas administrativa, legal, de relaciones públicas, etcétera. A cada ámbito le correspondía una televisora distinta y, también, una ciudad diferente, porque las sedes estaban regadas por todo el país. Así visité las cadenas CBS, NBC, ABC, Time&Life, y los grupos Meredith y Westinghouse Broadcasting, en estaciones de Nueva York, Los Ángeles, Grand Rapids, Chicago, Omaha, Wichita y San Francisco. En Washington, volví a la Casa Blanca para observar de cerca cómo trabajaba su oficina de comunicaciones, que es algo impresionante, pues es uno de los centros de información más movidos y deslumbrantes del mundo. Estando en el posgrado, en Michigan, conocí a Gerald Ford, que era representante de ese estado en el Congreso y tenía un programa quincenal de televisión en la misma estación de Grand Rapids a la que yo iba a hacer mis prácticas de estudiante. Tras llegar a la presidencia, a mediados de la década de los años 70, me envió una foto firmada, con una nota de recuerdo, una cortesía que es muy común entre los presidentes de los Estados Unidos.

Walter Cronkite, quien, según sé, fue uno de los periodistas que más te inspiraron, era ya en esa época una estrella de CBS. ¿Lo conociste en el 67?

Sabía quién era, pero no lo conocí durante el posgrado. Lo conocí unos años después, cuando yo ya era empleado de

CVTV, el famoso canal venezolano de la época, propiedad de la familia Vollmer, en el cual las cadenas CBS y Time&Life tenían participación accionaria, al igual que un grupo cubano liderado por Goar Mestre. Dado que la relación entre los propietarios, de aquí y de allá, era muy fluida, no era difícil para uno tener la oportunidad de tratar a los grandes jefes. Por esa vía conocí a Cronkite, en algún viaje que hice a Nueva York, alrededor de 1970. Él fue para mí una suerte de ídolo, mi presentador de televisión referencial. Los años siguientes seguí viéndolo, porque en el 71 me mudé a Nueva York y las circunstancias permitieron que estuviésemos más cerca. Cada vez que podía encontrarme con él, lo hacía.

Yo me fui a Nueva York contratado por la Corporación Nacional de Hotelería y Turismo (Conahotu), que luego pasaría a llamarse Corporación de Turismo de Venezuela (Corpoturismo). Solo que, antes de asumir funciones, ese año 71, el de mi llegada a la ciudad, durante unos meses trabajé en la sección latinoamericana del departamento de Prensa de CBS. Cronkite estaba, pues, a mano. Un día lo invité a comer en un pequeño restaurante, cerca de la estación. Me habló de su afición al velerismo y a mí se me ocurrió que podíamos invitarlo a Venezuela. Llamé a Nicomedes Zuloaga y Nicomedes se ofreció a prestar su velero para que Cronkite disfrutara de unos días en Los Roques. Todo estaba listo, pero a última hora sucedió algo muy noticioso en los Estados Unidos y el plan tuvo que suspenderse. Durante su segundo gobierno, cuando el presidente Pérez visitaba Nueva York, en ocasiones se organizaban encuentros con grandes figuras de los medios de comunicación y Cronkite asistía. Recuerdo, en especial, una recepción en la terraza del Museo Metropolitano, que dirigía Williams "Bill" Luers, gran amigo de Pérez y luego embajador de los Estados Unidos en Venezuela.

¿Por qué te mudaste a Nueva York?

Por varias razones. Me decidí en junio, durante un viaje que hice como corresponsal de CVTV, invitado por la CBS. Llegué a la ciudad y terminé de convencerme de que quería vivir allí. Volví a Caracas, renuncié al canal y me fui. Esa breve estancia previa se había dado a propósito de que se celebraba una de las carreras de Cañonero, un purasangre venezolano que había estremecido los marcadores del hipismo mundial al ganar el Derby de Kentucky, el 1° de mayo del 71. La carrera que yo transmití para CVTV fue el sábado 5 de junio, en las arenas del Belmont Park, pero ese día Cañonero no tuvo suerte. Yo, sin embargo, lo pase muy bien, porque salí del hipódromo en la limusina de la CBS, donde también iban Isabella Rossellini, que trabajaba en la estación local del canal, y Leroy Neiman, el renombrado dibujante de *Playboy*. Tiempo después me reencontré con la Rossellini, en Roma, en una cena en el restaurante La Bolognesa, en la Piazza del Popolo, en la que también estaban su madre, la bella Ingrid Bergman, y una cantidad de artistas más que no conocía. A esa comida fui como invitado de Claudio Moreno, un funcionario del gobierno italiano a quien había ayudado en una averiguación sobre la Cosa Nostra, la organización de la mafia en Nueva York. Moreno llegó a canciller de Italia.

¿De qué manera lo habías ayudado?

Cuando, en abril de 1972, asesinan al célebre capo Joe Gallo, en el Umberto's Clam House, en Manhattan, Moreno era encargado, en Italia, de una comisión de investigación contra la mafia. Fue a Nueva York para buscar información y, como yo tenía contactos, lo llevé al *New York Times* para que conociera al periodista Peter Maas, que tenía una investigación tremenda sobre la Cosa Nostra. Moreno había sido funcionario diplomático de Italia en Venezuela. Por eso nos conocíamos. Cuando vivió en Caracas estuvo empatado con una belleza de nombre Marisa Agusti, una mujer espectacular quien, por cierto, también tuvo un romance con otro político muy connotado, un andino cuyo nombre es mejor no divulgar porque era bastante serio y familiar, ministro de Betancourt y también del doctor Caldera.

¿Cuánto hay de inconfesable en tu libreta de periodista?

Luego de tantos años en el oficio, hay muchas cosas que uno sabe y no dice, no solo porque es información irrelevante, sino porque no tiene sentido buscarse enemistades innecesarias. Lo que sí es cierto es que a veces me entero de cuentos que no he estado buscando. Para muestra basta un botón. Hace unos años, la hija de una vecina de la urbanización donde vivo se casaba en Buenos Aires, y a mi esposa y a mí nos invitaron a la fiesta. A pesar de que yo no podía ir, Bolivia y una amiga nuestra, también del grupo de la mamá de la novia, decidieron presentarse de sorpresa en el matrimonio. Cuando llegaron al Alvear Palace, el hotel donde se ofrecía la recepción, las sorprendidas fueron ellas, porque ese mismo día habían secuestrado al novio y la boda estaba suspendida. Aquellas pompas parecían más bien pompas fúnebres, con el salón montado pero prácticamente vacío y, en la puerta, fiscales y policías. Al igual que ellas, sin embargo, se habían echado el embarque otros pocos invitados más, entre ellos un señor y una señora, casados, que resultaron ser encantadores con Bolivia y nuestra amiga, hasta el punto de que, durante el resto de los días de su estancia en Buenos Aires, las llevaron a comer, las sacaron a pasear, etcétera. Cuando Bolivia regresó a Caracas, a mí me pareció que lo más adecuado era que yo llamara a estas personas, que hablara con este señor para agradecerle el trato que él y su esposa le habían dado y ponerme a la orden para cualquier asunto. Como Bolivia había llegado y me había dicho que aquel hombre era dueño de periódicos, teatros, hoteles y haciendas en Argentina, antes de comunicarme con él averigüé quién era y, ¡aunque usted no lo crea!, se trataba de un confidente que había tenido Juan Domingo Perón durante su exilio en España: Carlos Spadone. Lo llamé, le dije que yo había conocido a Perón en Madrid a finales de los sesenta, le di las gracias por las atenciones con Bolivia y le dije que podía venir a Venezuela cuando quisiera, que con todo gusto nosotros lo recibiríamos. Inesperadamente, Spadone me respondió, con su inolvidable acento argentino: "Pues si es así, yo me voy a Caracas este mismo fin de semana, que lo tengo libre". ¡Coño, y empezamos nosotros a correr, para armar algún plan para Spadone!

La noche que llegó cenó en la casa, con algunos amigos nuestros vinculados a la diplomacia y a los medios de comunicación, entre ellos Andrés Mata, el antiguo dueño de *El Universal*. Al día siguiente nos lo llevamos a la isla de Margarita, a un rancho de Chana que nos prestaron. Allá, en la tarde, nos sentamos a conversar, nos dio la noche y amanecimos. Contó historias de película, espeluznantes. Por ejemplo: cuando el cadáver de Evita fue recuperado y enviado a Perón a su residencia de Puerta del Hierro, en Madrid, luego de 15 años desaparecido, Spadone y el jardinero de la casa fueron las dos personas que ayudaron al general a sacarlo del ataúd en el cual lo recibió. Lo pusieron sobre una mesa de mármol. María Estela Martínez, mejor conocida como "Isabelita" Perón, la tercera esposa del dictador, se encargó de limpiar el cuerpo y de peinar a Evita… ¡pelo a pelo! ¡Zape gato, compañero! Spadone ha narrado esa historia para la prensa en alguna oportunidad. A mí me la refirió en Margarita.

También me reveló a qué se debía el gran poder que logró acumular un personaje sombrío de Argentina, José López Rega, a quien tildaban de brujo. Esto es algo muy feo, horroroso, pero forma parte de la historia: por medio de rituales un tanto sórdidos, López Rega lograba que Perón se activara para la tarea marital con Isabel... ¡frente al ataúd con el cuerpo de Evita! Dejémoslo hasta ahí. Fue secretario privado de la pareja a lo largo de la época española y, cuando el general regresó a la Argentina y volvió a asumir la presidencia, fue nombrado ministro. Años más tarde, durante el gobierno de Raúl Alfonsín, López Rega fue juzgado por terrorismo de Estado y murió en prisión. ¡Es que donde hay un argentino, hay una telenovela! Yo apenas pude llamé a Tomás Eloy Martínez, a New Jersey, y le dije que tenía que hablar largamente con él para darle material para una crónica. Quedamos en vernos pero finalmente no lo hicimos.

De haber sido confidente de Perón, años más tarde Spadone pasó a ser uno de los asesores principales del presidente Carlos Menem. En 1994, el gobierno chino mandó a una delegación de exploración de negocios a la Argentina. Menem, que al parecer estaba harto de la llamada "raza amarilla", le pidió a Carlos que se hiciera cargo: "¡Che, estoy hasta los huevos de los chinos! ¡Estos boludos son todos idénticos! ¡Llevátelos a pasear!". Era una comisión de 15 personas. Spadone alquiló un avión y los llevó a recorrer el país. Los trató de las mil maravillas. Resulta que uno de los miembros principales de la delegación era Hu Jintao, que en 2003 ascendió a la presidencia. Cuando, en 2004, Hu Jintao volvió a Argentina, como mandatario, se reencontró con Spadone y lo distinguió. Le ofreció una cena en el Hotel Marriott de Buenos Aires y le propuso el negocio del siglo: que asumiera, entre otras cosas, la exportación de vino argentino a Asia. La última vez que supe de Spadone era presidente de la Cámara de Comercio Argentino-China. ¡Eso sí es estar en el lugar indicado, a la hora precisa!

¿En qué circunstancias conociste al general Perón?

Entre 1968 y 1971, cuando trabajé en CVTV, tuve que ir varias veces a Madrid para asistir a reuniones con la gente de la agencia de noticias EFE, que era cliente del canal. Uno de los jefes de EFE, el señor Martínez Texier, era amigo de Perón e iba a su casa con frecuencia a tomarse unos whiskies con él y con Isabelita. Un día, estando yo en España, me llevó. En su residencia de Puerta del Hierro, una zona exclusiva de la capital, le comenté al general que en la calle corría el rumor de que era un hombre enamoradizo y que había tenido una fantasía con Ava Gardner. "Son leyendas, son leyendas", se sacudió. Perón y Ava Gardner habían sido vecinos en el edificio donde él vivía antes de mudarse a esta nueva casa y, dicen, la saludaba, entusiasta, desde el balcón... Ava Gardner era la artista del momento, aunque para mí, guardando las distancias y el tiempo, la mejor mujer de Hollywood era Audrey Hepburn. Cuando la entrevisté ya era una señora mayor, pero ese encuentro fue la realización de un sueño.

DE PAUTA POR LA HISTORIA

Una sola escena resume lo que es capaz de hacer Bocaranda por una primicia. A comienzos de septiembre de 1968, recién empleado en CVTV, lo llamó el doctor Julián Morales Rocha. Era para decirle que estaba a punto de realizar el primer trasplante de corazón en la historia de Venezuela y que, si quería cubrirlo, se fuera para el Hospital Militar. El reportero Bocaranda, que no se iba a conformar con hacer un par de entrevistas a las puertas del quirófano, buscó un bigote en el departamento de utilería del canal, cogió una bata de médico que tenía su padre, que era farmacéutico, y se disfrazó. Ya en el hospital, se filtró en una antecámara de la sala de operaciones desde la cual un grupo de estudiantes de Medicina observaba la práctica quirúrgica. En la medida en que la cirugía avanzaba, la visual de aquel espectáculo de sangre hacía sudar, más y más, a Nelson, que en cierto momento se estrujó la cara y, sin darse cuenta, se arrancó medio bigote. Cuando fue a hacer la primera llamada al canal para dar el 'tubazo', la policía militar lo descubrió y lo aprehendieron…

Pero el doctor Morales Rocha, que era amigo de mi padre, les dijo a los policías que yo era hijo del doctor Bocaranda, el director de la farmacia del hospital, y me soltaron. En la noche, en vivo por CVTV, conté lo que había visto y lo que me había pasado.

Con Chávez internado en el Hospital Militar no te disfrazaste de médico.

Las medidas de seguridad eran muy grandes. Además, no hacía falta ir a ver al presidente para saber cuál era su estado de salud. La información tenía sus vías de salida. Las noticias tienen patas.

¿Es cierto que Chávez regresó de Cuba el 18 de febrero de 2013, tal como informó el gobierno en ese momento?

Sí. Fue una de las pocas verdades que dijeron por aquellos días. Regresó el 18, que era lunes, de madrugada. Lo que es mentira es que viajara en el avión presidencial. Vino en una aeroambulancia que voló a menor altura para evitar las molestias de la alta presión. Estaba sedado. Lo acompañaban su hija mayor, Rosa Virginia, su yerno el ministro Jorge Arreaza y sus edecanes, además, claro, de sus médicos y el grupo de enfermeras que lo habían atendido en el Centro de Investigaciones Médico Quirúrgicas de La Habana (Cimeq). Su regreso tomó por sorpresa incluso a gente del propio gobierno. Nicolás Maduro, Diosdado Cabello y algunos miembros de la Casa Militar eran los únicos que estaban al tanto del viaje. Los demás no sabían.

¿Por qué volvió?

En cuanto a tratamiento médico, no había nada que hacer que no se hubiese hecho ya. Chávez había ordenado que, cuando la situación llegara a ese punto, lo trajeran a morirse a Venezuela para no comprometer a la medicina cubana. Esa es la verdad.

¿No fue para morir en "suelo patrio"?
No, en absoluto.

¿Cuándo supo el presidente que su enfermedad era irreversible?
Se fue enterando poco a poco, hasta que el sábado 21 de abril de 2012, Fidel Castro le reveló toda la verdad. Fue uno de los días más duros para Chávez. Yo lo informé por Twitter y, una semana después, el comandante cubano lo confirmó públicamente.

Si sabía que iba a morir, ¿por qué no renunció a la candidatura presidencial?
Esa es una pregunta que habría que haberle hecho a él. En cualquier caso, una vez que Chávez ganó las elecciones en las cuales se midió con Henrique Capriles, el 7 de octubre de 2012, su cuerpo se vino abajo. En mi programa de radio tuve de invitada a la doctora Marianela Castés, licenciada en Química con un PhD en Inmunología, quien hizo un comentario interesante sobre el asunto. Dijo que el presidente se había puesto como meta triunfar en los sufragios y que en eso había depositado toda su energía. Cuando ganó, se quedó sin defensas y, el 8 de diciembre de 2012, se fue a Cuba y desapareció. Como periodista, yo cubrí prácticamente todas las campañas presidenciales y comicios de la llamada Cuarta República y nunca registré un drama semejante. La gente tiene que saber cómo se reporteaba antes, porque el periodismo no comenzó con Chávez.

¿Cuáles fueron las primeras elecciones que cubriste?

Las de Raúl Leoni contra Rafael Caldera, en 1963. Esas fueron las de mi debut. Porque cuando ganó Betancourt, en el 58, yo ni siquiera había comenzado a estudiar en la Escuela de Periodismo. Triunfó Leoni y Oscar Yanes trasmitió un programa especial, desde la casa del presidente electo, para presentarle su familia al país. Yo trabajaba tras bastidores todavía. Eran mis comienzos en la televisión. Durante los meses de enero y febrero de 1964, antes de que en marzo Leoni asumiera oficialmente la presidencia, cubrí los movimientos del interinato, las gestiones de traspaso de un mandatario al otro: de Betancourt a Leoni. Al fin, en mayo, entré en la nómina de Venevisión y, unos meses más tarde, me nombraron asistente de Yanes. Fui reportero en Miraflores, los ministerios, las Fuerzas Armadas, el Congreso, la Universidad Central y más, de modo que había bastante trabajo. Por la cercanía que, inevitablemente, comencé a tener con el poder, entablé una buena relación con la primera dama, doña Menca de Leoni, quien siempre me tuvo un gran cariño y yo a ella. A veces, cuando estaba sucediendo o iba a suceder algo importante en Miraflores, me llamaba y me lo decía. O me soplaba información que aún no se había hecho oficial, como cambios que se harían en el gabinete, por ejemplo. Doña Menca era una mujer especial. Su ayuda fue determinante para que yo pudiera entrevistar al presidente italiano Giuseppe Saragat cuando vino a Venezuela, en septiembre del 65. A propósito de esa visita, unos días antes de que Saragat llegara al país, en Venevisión preparamos un programa sobre la colonia italiana. Yanes me dijo:

"Si logras entrevistar al presidente de Italia, te ganas la cobertura del viaje del papa Paulo VI a Nueva York, el mes que viene. ¡Vaya y cúbrase de gloria!". Cuando llegó Saragat, me fui a hablar con el coronel Maldonado, amigo de mi padre y director del Círculo Militar, donde se había dispuesto que se alojara el mandatario. Tras escucharme decir que necesitaba lograr hablar con el presidente, Maldonado me dio la idea de que cuadrara algún plan con los mesoneros, que en general pueden acceder con cierta facilidad a los invitados. Dicho y hecho, los mesoneros me prestaron un uniforme, me disfracé y fui a esperar a Saragat en la puerta de la suite que le tenían asignada. Cuando entró, me fui detrás de él y le dije: "Presidente, presidente, sono giornalista, non sono valet…", carajo, un italiano que me salió del alma, mezclado con el español, "…trabajo en un programa de televisión y me gustaría entrevistarlo. Si usted me da esa oportunidad, mi jefe me manda a Nueva York, a la visita del Papa". Saragat me dijo que sí, que iba a colaborar, y me salí de su habitación para permitir que se instalara. Unas horas más tarde, en la noche, me fui al salón Venezuela del Círculo Militar, donde se le ofrecía una cena de gala. Busqué a doña Menca y le pedí que agarrara a Saragat para entrevistarlo. Doña Menca lo buscó y le dijo: "Señor presidente, este jovencito es un amigo periodista y me gustaría mucho que conversara con usted". Regresé a Venevisión con la entrevista y me fui a Nueva York. Viajé con Mariahé Pabón y "El Gordo" Pérez, periodistas de *El Nacional.*

Edmundo "El Gordo" Pérez era uno de los reporteros gráficos más grandes de Venezuela y, quizá, de América Latina. La mejor foto que se le hizo a Paulo VI en Nueva York la tomó él. En la terraza del Rockefeller Center se preparó un espacio para que los medios de comunicación más importantes pudieran fotografiar la llegada del Papa a la catedral de San Patricio, que queda enfrente de ese edificio. Como ni El Gordo ni yo teníamos credenciales de acceso, me acerqué a un guardia y le dije: "Oiga, amigo, ese señor que usted ve allí trabaja para el periódico del señor Rockefeller en Caracas. Él está muy mal de salud y en cualquier momento se nos muere. Mire que incluso camina cojeando, por la gordura. Permítale que suba a la terraza para que haga un buen trabajo. Es una caridad. Él no habla inglés, pero yo lo acompaño para guiarlo". El guardia se apiadó de El Gordo Pérez, que en serio cojeaba debido a la obesidad, y subimos. Una vez arriba, El Gordo me pregunta: "¿Y a cuál de estos periodistas de mierda vamos a quitarle el puesto de un coñazo?". Hablaba así. Se fijó en un reportero viejito, que resultó ser del diario italiano *Corriere della Sera*, se fue metiendo y finalmente, con la fuerza de aquella mole, lo apartó. ¡E hizo la foto del Papa entrando a la catedral! ¡Espectacular! Él, su esposa y Mariahé se hospedaron en un hotel en la 42, una calle de putería y *sex-shops*. Un día los acompañé allí y, al llegar, El Gordo se lanzó a descansar. En eso me di cuenta de que la cama tenía una ranurita para echar una moneda y poner a temblar el colchón. Metí una y grité: "¡Terremoto!", pero el susto fue tan grande que cuando vi la reacción de El Gordo, tratando de pararse de la cama, dije: "Coño, lo maté". En ese viaje estuve a punto de matarlo a él y al Papa.

¿También al Papa?

Al día siguiente de la historia en el Rockefeller Center, Su Santidad Paulo VI iba a Naciones Unidas. Para cubrir esa visita como Dios manda, ¡nunca mejor dicho!, le dije a Mariahé que alquiláramos una limusina y entráramos a la ONU por la puerta de los embajadores, como de hecho hicimos sin que nadie nos descubriera. El presidente de la Asamblea General era Amintore Fanfani, un italiano retaquito, que fue primer ministro de Italia en varias ocasiones. Cuando pasamos, le digo a Mariahé, ambos muertos de la risa: "Siamo entrati, signora Fanfani!", "¡Hemos entrado, señora Fanfani!" y de repente surge de entre las piernas de la gente un enanito, que nos dice: "Eh, sono anche Fanfani!". Era el doctor Fanfani, que nos decía que él también tenía ese apellido, ¡qué casualidad! Lo saludamos, nos preguntó de dónde éramos, le dijimos que de Venezuela y nos escabullimos. Cuando nos montamos en la escalera mecánica que conduce a la entrada de la Asamblea General, el Papa venía bajando por el lado contrario. Apenas nos cruzamos, me lancé para saludarlo y le agarré una mano. Y Mariahé gritó: "¡Cuidado, Nelson, vas a tumbar al Papa!". Pero no se cayó.

Llevabas un registro inmenso de chistes en una libreta. ¿Qué papel juega el humor en tu trabajo?

Voy a contar una anécdota que parece un chiste pero que es enteramente cierta. En 1964 estaba yo en Venevisión al frente de las promociones de prensa del canal. Por eso me tocó acompañar en sus grabaciones, programas en vivo y declaraciones a los medios a la famosa cantante cubana conocida como La Lupe, reina del latin soul. Con apenas 19 años de edad, la veía ensayar una canción cuando, de repente, toda sudada, me pidió prestado un pañuelo. Se lo di. Para mi asombro, lo agarró y comenzó a limpiarse todo el cuerpo, desde la frente hasta sus zonas más íntimas y calientes, ¡todas! Tuvo que exprimirlo varias veces. Cuando me buscó para devolvérmelo, ya yo me había escondido detrás del ciclorama del estudio. Mi papá era un contador de chistes permanente y mi mamá siempre ha gozado un puyero recitando poesías divertidas y echando vaina. De ellos heredé el buen humor, que es muy útil porque abre muchas puertas. Yo me río con mis entrevistados. La risa crea un nexo con los demás, sean empresarios, políticos o lo que fuere. Yo compartía chistes con Aristóbulo Istúriz, cuando todavía no era chavista, y también con Carlos Andrés Pérez, con Jaime Lusinchi, ¡e incluso con Caldera, que no era muy gracioso que digamos!

¿Caldera era intransigente o la percepción es equivocada?
Cuando Caldera ganó las elecciones la primera vez, en diciembre del 68, yo ya trabajaba en CVTV. Unos meses atrás había regresado de hacer el posgrado en los Estados Unidos y entré en el canal. Al principio fui gerente de Relaciones Públicas, pero muy pronto me encargué del departamento de Prensa. Así fue como volví a las pantallas. Teníamos un noticiero con el nombre de Noticias Pan Am, auspiciado por la aerolínea Pan American World Airways, donde yo aparecía dando un reporte sobre acontecimientos internacionales. De esa manera

me convertí en el precursor de una figura hoy muy común, la del periodista ancla, de presencia periódica en los telediarios. Una vez a la semana, Caldera se dirigía a la nación a través de un programa llamado "Habla el presidente". Al principio lo presentaba Rodolfo José Cárdenas, director de la OCI, y luego empezó a hacerlo Oscar Yanes. A Martín Pacheco, "Pachequito", un reportero muy bueno, me lo había llevado yo a trabajar a CVTV. Lo habían botado de Radio Caracas por presiones de la Creole Petroleum, la empresa patrocinadora de El Observador Creole, porque Pachequito había entrevistado al guerrillero Douglas Bravo, en Humocaro Alto, y aquello les había resultado un gesto antiyanqui, una declaración de comunismo imperdonable. Martín trabajó luego para el gobierno chavista. En "Habla el presidente", Caldera daba un informe sobre asuntos nacionales y, acto seguido, se abría el micrófono para que un grupo de reporteros le formularan preguntas. Como el programa tenía tan poco rating, le pedí a Pachequito que se lo comentara al presidente, para ver qué decía. Nos salió el tiro por la culata: Yanes y Caldera cogieron la arrechera del siglo y se tomó la decisión de impedirle a Pachequito la entrada a Miraflores. ¡Por esa pendejada! Fui a hablar con el presidente y le dije que la culpa no era de él, que de hecho había sido yo quien le había solicitado que le mencionara el escaso rating de su programa. A los días se levantó la sanción, pero la anécdota da una idea de lo delicado que era Caldera. En otra oportunidad, durante una entrevista que le hice, también por televisión, se me ocurrió preguntarle por qué no había permitido el ascenso de Eduardo Fernández dentro de Copei. ¡Me dio un pellizco durísimo en una pierna para que me callara y cambiara el tema!

Los comicios en los que Caldera ganó la primera vez fueron los más reñidos del período democrático. Le ganó a Gonzalo Barrios, el candidato de AD, por unos pocos miles de votos. El margen fue tan estrecho que el país tuvo que esperar casi una semana para conocer los resultados. Con el objetivo de competir con Venevisión en la cobertura de los acontecimientos, en CVTV los ingenieros Santiago Aguerrevere, Manuel Sauri y Germán Landaeta prepararon una unidad móvil, improvisada pero efectiva, y con ella nos apostamos a las puertas de Tinajero, la residencia de Caldera. Desde allí transmitíamos hasta el menor suceso. Era tal la angustia que había ante el desconocimiento de quién había ganado que Gustavo Vollmer, Arturo Sosa, Alfredo Machado Gómez y Luis Esteban Palacios, directivos del canal, dormían en la estación. Había rumores de que AD, que estaba en el gobierno, no reconocería unos resultados adversos, pero no era cierto, como quedó demostrado. Al presidente Leoni le dolió profundamente que circularan esas dudas, que ponían en tela de juicio su condición de demócrata. Durante los días de la incertidumbre, Caldera mandó a dos copeyanos muy conocidos a hablar con él. Eran José Antonio Pérez Díaz y Gonzalo García Bustillos. A Gonzalo lo llamaban "el social-pagano", porque era muy jodedor. Tenía un temperamento que no se parecía mucho a la forma de ser de los militantes del Socialcristianismo. Quizá por eso era buen amigo también de los adecos. El caso es que García Bustillos y Pérez Díaz fueron a ver al presidente y le dijeron que Caldera quería saber si él aceptaría una posible derrota de Acción Democrática y, en consecuencia, si estaba dispuesto a traspasar el poder. Leoni se sintió abochornado por la pregunta y les respondió que cómo era posible que se pusiera en entredicho su apego a la democracia, que él reconocería el triunfo de Caldera aunque la diferencia final fuese de un solo voto. Años más tarde, ya muerto Leoni, doña Menca me confió que aquel había sido uno de los momentos más dolorosos de la vida de su esposo, pues él no concebía que se pudiera tener sospechas sobre su honestidad. Leoni era un pan. Caldera, en cambio, era distancia y categoría. Sin embargo, en líneas generales, él y yo nos llevamos bien. Fui chaperón de su hija Alicia Elena. Iba yo emparejado con Rosita, la asistente de doña Alicia Pietri, la primera dama, y Alicia Elena iba con su novio, Fernando Araujo. Salíamos los cuatro a comer y a discotecas. Yo tenía cierta amistad con los hijos del doctor Caldera porque, por razones periodísticas, los veía con frecuencia y éramos contemporáneos.

¿Es cierto que una vez que se anunció que Caldera había ganado las elecciones, fuiste tú quien le planteó la idea de que presentara su gabinete de gobierno por televisión, una cosa que jamás se había hecho en Venezuela?
Así fue. En enero de ese año, 1969, Richard Nixon había llegado a la Casa Blanca y Frank Shakespeare, el presidente de CBS, lo había convencido de que informara, en vivo, los nombres de los miembros de su tren ejecutivo. A mí me gus-

tó la idea y se la vendí al canal y al presidente. Frank venía a las reuniones de la junta directiva de CVTV como representante de CBS y Time&Life y con él ultimé los detalles. La mañana del día del programa no sabíamos todavía quiénes iban a ser los ministros, pero teníamos sospechas y habíamos hecho fichas biográficas de los posibles personajes para cada despacho. En el transcurso de las horas se fueron eliminando algunos nombres y nos quedamos con los esenciales, de modo que cuando el presidente Caldera comenzó a hacer las designaciones, teníamos todo preparado. Era la primera vez que un mandatario venezolano transmitía por televisión un acto de gobierno como ese.

Por cierto, la señora Nixon fue enviada como jefa de la delegación oficial del gobierno de los Estados Unidos a la toma de posesión de Caldera. Se atrevió a volver a Venezuela a pesar de que en una visita previa que había hecho al país casi la matan. Es una historia que conoce muy bien la gente que vivió esa época porque el episodio fue célebre y le dio la vuelta al mundo. Era mayo de 1958. Pérez Jiménez había caído cuatro meses atrás. Richard Nixon, vicepresidente de los Estados Unidos, encabezaba una gira por América Latina a solicitud de su jefe, el general Dwight Eisenhower. Su última parada era en Caracas. Procedente de Bogotá, llegó a Maiquetía acompañado por Pat, su esposa, y una comitiva oficial. Inexplicablemente, su gobierno no había tomado en cuenta que Estados Unidos había apoyado la dictadura militar recién derrocada y que aquí los ánimos estaban caldeados. Cuando Nixon se bajó del avión en el que viajaba, observó que en el aeropuerto de Maiquetía había un acto de repudio en su contra y, guapo y apoyado, se acercó a la turba de gente, para saludar. El remedio fue peor que la enfermedad: en vez de tranquilizarse, los manifestantes se alteraron aún más y les cayeron a escupitajos a él y a su mujer. Viendo aquello, Nixon y su señora se metieron en el carro que los llevaría hasta Caracas y escaparon, con la mala suerte de que, en el camino, los esperaba otra protesta, aún más violenta. Una horda se abalanzó sobre el vehículo y, con la ayuda de tubos y piedras, rompieron algunos vidrios de seguridad. El canciller de Venezuela, Oscar García Velutini, que iba en el carro que trasladaba al vicepresidente, fue herido en un ojo por una esquirla de cristal. El plan original era que Nixon se dirigiese al Panteón Nacional para honrar al Libertador, pero la visita se suspendió y lo llevaron de inmediato a la embajada de los Estados Unidos, en la Alta Florida, donde se reunió con la junta de gobierno de 1958, que presidía el contralmirante Wolfgang Larrazábal. Por supuesto, Larrazábal repudió la agresión, al igual que la mayoría de los líderes políticos del país.

Vernon Walters, quien luego sería subdirector de la CIA y fue uno de los agentes de inteligencia más destacados y poderosos del siglo XX, vino en ese viaje como edecán de Nixon. Me lo encontré, en los 80, en Barbados, en una reunión de la Iniciativa de la Cuenca del Caribe. Lo vi desayunando solo en el restaurante del hotel donde me alojaba, me acerqué a saludarlo y conversamos. Me contó que fue él quien se encargó de llevar a García Velutini a una clínica, para que lo atendieran. Era el Centro Médico. Walters era un hombre bastante singular. Toda su vida fue un soltero empedernido, un tipo solitario. Decía que quienes se dedicaban al trabajo que él tenía, no podían dedicarse a nada más. El día de la toma de posesión de Caldera, en Miraflores, conversé con la señora Nixon. Me recordó aquel trance espantoso del que había salido llena de saliva de pies a cabeza. Una vergüenza.

El triunfo de Caldera permitió que se inaugurase en Venezuela la alternabilidad democrática. Luego de dos gobiernos seguidos de AD, ganó Copei, el principal partido de oposición. Cinco años después, en el 73, CAP venció a Lorenzo Fernández en las elecciones y Acción Democrática volvió a Miraflores. En ese momento yo estaba viviendo en Nueva York, pero como la votación era en diciembre, aproveché las vacaciones para venirme unas semanas a Caracas. Eladio Lárez me había llamado para pedirme que ayudara a montar el operativo de cobertura electoral de Radio Caracas Televisión. De allí fue que surgió el nombre de "Decisión 73" para la transmisión especial dedicada a la contienda. El canal lo mantuvo durante los comicios subsiguientes: "Decisión 78", "Decisión 83". Durante esos días también ayudé con la producción de "Buenos Días", el famoso programa matutino de Sofía Imber y Carlos Rangel. "Buenos Días" pasó prácticamente por todos los canales: comenzó en el 11, de allí saltó a CVTV, luego a Radio Caracas y finalmente a Venevisión. Sofía era una periodista muy temida porque era tremendamente incisiva. Le tenían miedo incluso los presidentes. Carlos, en cambio, era tranquilazo, el lado intelectual de la pareja.

Con Sofía tengo un cuento muy gracioso, que habla mucho de cómo vive uno como persona de la televisión, a quien el público reconoce en la calle. Chávez dio el golpe el 4 de febrero de 1992, que era martes. Una semana más tarde, el 12, yo viajaba a Londres, vía Madrid, para entrevistar a Barbra Streisand. Por mera casualidad, Sofía volaba en el mismo avión que yo porque iba a visitar a su hija Daniela Meneses, que vive en España. Cuando nos vimos, en el aeropuerto de Maiquetía, nos saludamos y la ayudé a cargar un bolso que llevaba, lleno de libros. Al vernos juntos, la gente se alarmó. Como estaba tan fresca la intentona de Chávez, pensaron que estábamos escapando porque iba a pasar algo todavía más grave en el país. Se acercaban a preguntarnos: "¡¿Por qué se están yendo?! ¡Seguro ustedes saben algo que nosotros no sabemos!". ¡En absoluto! Sofía se iba de vacaciones y yo a cumplir compromisos laborales. Estábamos saliendo del país, ¡juntos pero no revueltos! Además de la profesión, Sofía y yo compartimos algo no menos preciado: el abogado. Hasta su inesperada muerte, en 2015, se ocupó de nuestras cosas el doctor Juan Martín Echeverría, amigo y penalista excepcional, exministro de Justicia y fundador de la Disip.

Cuando el golpe de Chávez, yo ya había vuelto a Venevisión. Viví el acontecimiento desde el llamado "Canal de La Colina", aunque casi me agarra fuera del país. Apenas la noche anterior había regresado de Atlanta, adonde había ido para asistir a una reunión internacional de CNN. Allí entrevisté al fundador de esa cadena de noticias, Ted Turner, y al Premio Nobel de la Paz el arzobispo surafricano Desmond Tutu. Recién llegado a Caracas, cuando supe la noticia de la intentona, en la madrugada, me comuniqué con Consalvi, que era embajador en Washington. Él se había enterado porque Jorge Olavarría lo llamó, muy temprano, para decirle que Calixto Ortega le había informado que había una insurrección en marcha. Simón, al parecer, no sabía nada hasta ese momento, pero al cabo de un rato devolvió el telefonazo para confirmar la novedad. Cuando hablé con él ya habían transcurrido unas horas y estaba tan asombrado como yo, yendo de aquí para allá, en permanente contacto con la Casa Blanca y, en especial, con el presidente George Bush padre. A mitad de la mañana me fui para el canal y al mediodía me encargué del noticiero. Allá estuve hasta la noche, cuando Gustavo Cisneros me llamó para decirme que fuera para su casa.

¿Quiénes estaban donde Cisneros?

Entre otros, el general Carlos Peñaloza, hoy en el exilio, quien nos contó que Chávez había sido su alumno en la Academia Militar y que era uno más del montón. Dijo además que él sabía que Chávez conspiraba, pero que no había encontrado las pruebas necesarias para demostrarlo de manera fehaciente. Previamente, Cisneros había ido al palacio de Miraflores, donde fue testigo de una conversación telefónica en la que el presidente Bush le recomendó a Carlos Andrés que se sirviera un gin tonic y se echara a descansar, porque el golpe, por fortuna, se había frustrado.

Otro que se alegró, en febrero del 92, por el fracaso de Chávez fue Fidel Castro. Es un hecho público que le mandó una carta al presidente Pérez para expresarle su satisfacción porque la insurrección había sido sofocada.

Esa carta, que se recuerda poco, ya está en Internet. No estaría mal que la releyéramos. Así no se nos olvida. "Estimado Carlos Andrés –dice Fidel–, desde tempranas horas del día, cuando conocimos las primeras informaciones del pronunciamiento militar que se está desarrollando, nos ha embargado una profunda preocupación que comenzó a disiparse al conocer de tus comparecencias por la radio y la televisión y las noticias de que la situación comienza a estar bajo control. En este momento amargo y crítico, recordamos con gratitud todo lo que has contribuido al desarrollo de las relaciones bilaterales entre nuestros países y tu sostenida posición de comprensión y respeto hacia Cuba. Confío en que las dificultades sean superadas totalmente y se preserve el orden constitucional, así como tu liderazgo al frente de los destinos de la hermana República de Venezuela. Fraternalmente, Fidel Castro Ruz". Fidel le debía mucho a Carlos Andrés. En 1974, durante el primer gobierno de Pérez, Venezuela restableció el vínculo diplomático con Cuba, roto por Betancourt en 1961.

No en vano decía el propio Consalvi que esa conocida frase de Fidel de que "la historia me absolverá" es un cuento chino. El día que destituyeron a Pérez de la presidencia de la República, en mayo de 1993, fui a verlo a La Casona. Me parecía que aquel era un suceso histórico y que, desde el punto de vista periodístico, así como para la propia experiencia, era de sumo interés. Cuando llegué iba saliendo el embajador de Cuba en Venezuela, Norberto Hernández Curbelo, quien me dijo que había ido a expresarle a Pérez el respaldo del gobierno cubano. Cuando entré, indagué más y me enteré de que, en presencia del embajador, el presidente incluso había conversado por teléfono con Fidel, que le dio ánimos. Le dijo: "Siga adelante, Carlos Andrés, que el futuro apenas comienza", una frase que hoy suena a cinismo. La relación que había entre ellos era tal que cada cierto tiempo el comandante mandaba a Caracas una cavita llena de helados Coppelia, que le fascinaban a doña Blanca de Pérez, la primera dama.

El embajador Hernández Curbelo no fue el único personaje que salía de La Casona cuando yo estaba llegando. También vi a Hildergard Rondón de Sansó y a su hija, Beatrice Sansó de Ramírez, la esposa del exministro y expresidente de Petróleos de Venezuela, PDVSA, Rafael Ramírez. Hildegard Rondón era magistrada de la Corte Suprema de Justicia y ese mismo día había votado a favor del enjuiciamiento de Pérez. Como me extrañó aquella visita, al entrar le pregunté a CAP qué había ido a hacer allá esa mujer que lo acababa de traicionar. Carlos Andrés me dijo que la magistrada había ido a pedirle perdón porque, según ella, había sido engañada. Yo le respondí que eso era imposible, que quién le podía creer, pero él insistió: "Si me lo dijo, es verdad. En la palabra de los amigos siempre hay que confiar".

Además de ingenuidad, ¿qué había esa noche en el ánimo de Pérez?

Estaba golpeado, pero entero. Carlos Andrés nunca se imaginó que algo así podía pasarle. Yo le hice el comentario: "Pero usted sabía que le iban a caer encima", y él me contestó que no, que hasta el final creyó que privarían la sensatez y la democracia.

En 1989, cuando Pérez nombró fiscal general a Ramón Escovar Salom, varios de sus amigos y ministros le desaconsejaron la designación. Incluso algunos de ellos le auguraron que Escovar buscaría por todas las vías la manera de enjuiciarlo, pues le tenía una deuda pendiente. Pérez desoyó hasta la más mínima advertencia.

Yo fui testigo de los orígenes de esa enemistad. Estábamos saliendo de la Casa Blanca, en 1977. Había ido a Washington a cubrir una visita que Pérez le hacía al presidente Jimmy Carter. Escovar Salom era el canciller. Tras el encuentro con Carter, Carlos Andrés se le acercó a Escovar y le manifestó la necesidad de que se regresara con él a Caracas. Era una orden, pero Escovar se negó rotundamente con el argumento de que él ya tenía un viaje preparado para Polonia y que no pensaba modificar sus planes. Las malas lenguas dicen que se olía que Pérez preparaba cambios en el gabinete y que quería impedir que lo removieran de su cargo. Pérez regresó a Venezuela y Escovar se fue de gira y se hizo el perdido. Lo llamaban desde la secretaría de la presidencia y era imposible localizarlo. Carlos Andrés, que venía de Washington con una buena arrechera, lo destituyó. 12 años después, en los inicios de su segundo mandato, lo nombró fiscal general. Pérez pensó que Escovar Salom no era capaz de guardar un rencor durante de tantos años. Se equivocó. Y aquellos lodos trajeron estos barros.

UNA AVENTURA INFINITA
Y PELIGROSA

Es una tarea impracticable, incluso para el propio Bocaranda, contabilizar con detalle todos los viajes que ha hecho por el mundo. Lleva, no más que eso, una cuenta general de los países que ha visitado: pasan de 90. ¡La envidia de Kofi Annan! Antes que invertir en propiedades, carros de colección, relojes, ropa de marca, financiar una vida de ricos y famosos, Nelson y Bolivia prefieren poner sus ahorros en unos cuantos tickets de avión y permitirse conocer otros lugares del planeta, otros pueblos, otras culturas. Cuando la prensa curiosa ha entrevistado a Nelson Eduardo y a Cristina, los muchachos de Bocaranda, con frecuencia ha salido a colación lo importante que ha sido para ellos, para su formación humana, la pasión de trotamundos que cultivan sus padres. Gracias a ella no solo conocen los cinco continentes: es que en cada sitio que han visitado han tenido la oportunidad de enterarse de cómo vive la gente, saber cuál es la realidad más allá de las puertas del hotel. Desde luego, así como padres e hijos han andado en bicicleta por los barrios más duros de Camboya, por ejemplo, atestiguando el terrible espectáculo de la pobreza, también les han tocado algunas gracias difíciles de olvidar, como una vez, en Roma, cuando el cardenal Rosalio Castillo Lara, altísimo funcionario del Vaticano, les abrió la Capilla Sixtina a las seis de la mañana para que la disfrutaran ellos solos, antes de que llegara la hora de dar acceso a la marabunta del turismo. O cuando, en San Petersburgo, el empresario ruso venezolano Rostislav Orlovsky logró que les permitieran visitar el Museo del Hermitage un día que estaba cerrado al público. Las historias de los Bocaranda de paseo por el planeta darían para otro libro, en ese caso de temática familiar y mejor si impreso en papel glasé, para admirar bien las fotos, que las tienen por montón y son bastante buenas. (Un día, un hacker afecto al chavismo les robó unas cuantas de una visita a África y se las dio a Venezolana de Televisión, en cuyas pantallas se hicieron públicas, pero esa es harina de otro costal. Como se dice en griego antiguo: simples y vulgares ganas de joder). Evidentemente, esta aventura total por el mapamundi se debe al hecho de que Nelson y Bolivia comparten la afición turística. Suerte para el matrimonio: ambos son lo que se llama unos 'patacaliente'. De luna de miel se fueron a Bora Bora, el célebre atolón de la Polinesia Francesa. A pleno sol se lanzaron al mar. Nadaban. Al rato escucharon gritos. Regresaron a la orilla. Era un grupo de turistas que trataban de advertirles la presencia de un banco de tiburones. Ellos no se habían dado cuenta. ¡Dios protege al inocente!

Tengo la fortuna de conocer muchas ciudades, pero cada vez que me preguntan cuál es mi favorita respondo, sin que me quede nada por dentro: Nueva York. Allí viví, la primera vez, entre 1971 y 1977. Ir a cubrir la carrera del caballo Cañonero fue un hecho decisivo porque fue durante ese viaje cuando tomé la decisión de mudarme. No me sentía bien en CVTV. Había tenido problemas con el director del canal. No éramos compatibles: yo no le agradaba como empleado y él no me gustaba como jefe. Sabiendo que yo tenía contactos en el gobierno, este hombre me había pedido que lo ayudara en un trámite para el cual no estuve dispuesto y se enemistó conmigo. Como me negué, me hizo la cruz. Por esos días entrevisté a Diego Arria, que era director de Conahotu, y nos caímos bien. Diego me llamó para preguntarme si estaba interesado en trabajar en la oficina de turismo de Venezuela en Nueva York. Vino lo de Cañonero y acepté el cargo.

Antes de irme fui a visitar a Arístides Calvani, que había sido mi profesor en la UCAB y en ese momento era el ministro de Relaciones Exteriores. Cuando le dije que me iba del país, me recomendó que lo mejor que yo podía hacer era mudarme a Roma y estudiar en la Universidad Internacional de Estudios Sociales "Pro Deo". Calvani era tremendamente católico y para él Roma era la ciudad ideal para un muchacho que debía formarse para una vida correcta. Le respondí que no, que mi sueño era Nueva York y que le había aceptado un cargo a Diego Arria, que entonces era pro copeyano. Después Diego se fue a trabajar con CAP y se hizo carlosandresista... Calvani me informó que me nombraría agregado de prensa de Venezuela en la ONU. Ejercería el cargo ad honorem, pero disfrutaría de un carnet diplomático que me daría acceso a Naciones Unidas, un lugar donde se generan noticias a cada rato.

El mismo año 71, recién llegado, tuve la suerte de presenciar el inicio de las primeras conversaciones entre Venezuela y China, protagonizadas precisamente por el canciller Calvani. La República Popular China era noticia esos días pues había asumido su asiento en la ONU tras desplazar a Taiwán como su representante. El gobierno chino le había comprado un hotel a la cadena Holiday Inn en el West Side de Nueva York para que le sirviera de residencia a sus funcionarios, y así tenerlos aislados del resto del mundo que, en ese microcosmos estadounidense, podía tentarlos demasiado. Los diplomáticos de los demás países se sentían privilegiados cuando los chinos los invitaban a comer en tan grande y vigilada residencia. Un búnker. En la Asamblea de Naciones Unidas uno reconocía a leguas de distancia a los comunistas chinos porque, además de que eran todos igualitos, iban uniformados con el mismo trajecito gris.

Luego, en febrero de 1972, transmití para la radio y para CVTV la visita del presidente Richard Nixon a Pekín, como le decíamos antes a Beijing, en uno de los hechos más relevantes de la historia contemporánea. El fatídico 11 de septiembre del 2001, el día del atentado contra las Torres Gemelas, me agarró en Hong Kong, adonde había llegado luego de recorrer buena parte de la gran nación asiática, que ya avanzaba vertiginosamente hacia el futuro, a pesar de las restricciones que imponía el propio dilema comunista. En 1980 Den Xiao Ping había anunciado la vuelta del destino cuando dijo: "Ser rico es glorioso, tenemos que permitir que haya ricos aquí". Casi cuatro décadas después, China ya no es el país de Mao Tse-Tung.

¿Qué tan penetrada está Venezuela hoy día por los chinos?

Los que han venido a hacer negocios, invitados por el gobierno chavista, se cuentan por montones. Muchos de ellos han sido víctimas de asaltos a mano armada y de secuestros porque el hampa sabe que tienen dólares. Es una situación dramática, pero la noticia no trasciende a la prensa porque el poder oficial ha hecho todo lo posible por ocultarla. Además, como los chinos no saben español y de milagro inglés, ¿con quién van a hablar? Es la única colonia conocida en el mundo que no se integra a la sociedad que la recibe. Los chinos son muy cerrados. Han comprado restaurantes para transformarlos en locales privados, de manera de que solo ellos tengan acceso.

Con esa transmisión del viaje del presidente Nixon a Beijing me estrené yo en Radio Continente. Luis Muñoz Tébar, mejor conocido en los medios como "Lumute", era su director y me contrató como corresponsal en Nueva York. Las cosas de la vida: cuando, en el 74, Lumute se fue para Radio Capital, yo me fui con él y mi primer reporte para la nueva estación fue la renuncia del propio Nixon, que tuvo que dejar la Casa Blanca a propósito del llamado Escándalo Watergate. Hasta ahora es el único mandatario estadounidense en dimitir del cargo. Un par de años más tarde, Caldera fue de visita a Nueva York y quiso cenar con él. Me pidió que les hiciera una cita en Le Cirque, un restaurante muy caro y famoso de la ciudad, y que buscara a Nixon en su casa y lo llevara allí. Eran amigos. Ambos ya expresidentes. Nixon vivía en un townhouse en la calle 69, entre Madison y 5th Ave. Nos fuimos caminando, acompañados por un guardaespaldas, hasta Le Cirque, donde lo esperaba Caldera. Lo dejé y me fui, para que conversaran en privado. Lo volví a ver cuando Ronald Reagan ganó las elecciones, en enero del 81. Junto con José Mata, periodista y productor de VTV, fui a su casa a entrevistarlo para pedirle su opinión sobre los resultados. Por cierto, José fue luego empleado de PDVSA, en el área de comunicaciones, y estuvo allí por más de 20 años. Lo botaron en 2002, cuando el paro petrolero que puso en jaque al gobierno de Chávez, y nunca le pagaron su liquidación. Todavía está esperando. Al igual que él hay una cantidad inmensa de venezolanos que fueron despedidos injustamente de PDVSA y con los cuales el Estado tiene miles de deudas.

En ese viaje del doctor Caldera a Nueva York también lo ayudé con otra cosa, un poco menos solemne. De tanto caminar por la ciudad, se le terminaron de joder unos zapatos viejos que llevaba y me pidió que fuéramos juntos a la Florsheim, según él la mejor marca de calzados del mundo. Dado que yo tenía credencial diplomática, cuando iba de compras no pagaba impuesto. Así que a Caldera le salieron 8% más baratos sus nuevos zapatos.

En diversas oportunidades has contado, en televisión, en la radio y en entrevistas para revistas y periódicos que cuando murió el expresidente Leoni, en Nueva York, el 5 de julio de 1972, pagaste su velorio. ¿Por qué tú?

Como trabajaba en Conahotu, me llamaron para que me encargara de contratar el servicio funerario. Se hizo el pago y luego el gobierno nos devolvió la plata que habíamos gastado. Los muertos no esperan y el dinero se requería de inmediato. La burocracia venezolana no es nueva. Antes no había tanta como ahora, pero en ese caso el trámite de enviar, desde Caracas, el monto de los tantos miles de dólares que se necesitaba se tardaría algunos días. Lo velamos en la funeraria Campbell, muy conocida en la ciudad. ¡Y asimismo a Betancourt, que murió en el 81, también en Nueva York! Yo estaba allá y, como los adecos recordaban que me había hecho cargo de Leoni, me llamaron para pedirme que me hiciera cargo de Rómulo. ¡El único expresidente venezolano muerto en Nueva York cuyos funerales no organicé fue el general José Antonio Páez, aunque me hubiese gustado!

Hay que ver cómo son distintas las cosas según el tipo de gente de que se trate. Tanto Leoni como Betancourt fallecieron cuando en Venezuela estaban en el poder gobiernos copeyanos: con Leoni el de Caldera y con Betancourt el de Luis Herrera Campins, y ambos se ocuparon de inmediato del asunto. Cuando murió Carlos Andrés Pérez, en Miami, en 2010, Chávez lo que hizo fue insultarlo. Dijo: "¡Aquí no habrá luto nacional porque ha muerto un corrupto!". Caldera y Luis Herrera, en cambio, mandaron a Nueva York edecanes que les rindieron honores a los expresidentes fallecidos. Se repatriaron los cuerpos y fueron enterrados en Caracas con la solemnidad correspondiente.

La relación entre los políticos de antes no era perfecta, pero con mucha mayor frecuencia que ahora el trato que se daban unos a otros era amistoso. A veces incluso era evidente que había admiración entre ellos, aun si eran de aceras ideológicas contrarias. Unos días antes de que a Betancourt le diera el derrame cerebral que acabó con su vida, el presidente Herrera Campins se había visto con él en Nueva York. Yo estuve con ellos. Luis Herrera estaba de visita oficial en Naciones Unidas y Betancourt fue a escucharlo dar su discurso ante la Asamblea General. Al salir, nos reunimos todos, y Juan Carlos Brandt, un ahijado del presidente que se encontraba allí, le dijo que tenía entradas para ver un juego en el Yankee Stadium. Juan Carlos había logrado que el dueño del equipo de los Yankees, George Steinbrenner, le reservara un palco especial. Luis Herrera no lo pensó dos veces e invitó a Betancourt. Y fuimos todos a disfrutar el juego de pelota. Cuando terminó, uno de los hijos de Luis Herrera le dijo a su papá que él nunca se había tomado una foto con Betancourt, y que la quería. Rómulo estaba de salida, corrí a buscarlo y se devolvió, con todo gusto. Y se hicieron el retrato, que resultó ser el último registro gráfico de Rómulo Betancourt con vida. Salgo yo detrás de ellos, por carambola. Es una imagen muy reveladora de cómo se vive en democracia. Lamentablemente, unos días más tarde estábamos en el Doctor's Hospital esperando lo peor. Como yo sabía que Betancourt estaba al borde de la muerte, grabé la noticia de modo que, cuando falleciera, Radio Capital la transmitiese de inmediato. Así fue. Apenas Rómulo murió, llamé a la estación y les dije: "Estamos listos". Y se puso al aire la grabación como si fuese en vivo.

Luego de trabajar por algunos años en el periodismo, ¿no te fue difícil encargarte de la oficina de turismo de Venezuela en Nueva York, un empleo mucho más burocrático, radicalmente distinto al reporterismo de calle al que estabas acostumbrado?
No demasiado. Aunque no soy relacionista público de profesión, de alguna manera he ejercido como tal. Además, el periodismo tiene mucho de eso, de esa afición por conocer gente, de querer estar en contacto permanente con los de-

más. La oficina de turismo era muy movida. Uno nunca se aburría porque siempre había algo que hacer, siempre había alguien de visita y, adicionalmente, había amigos venezolanos viviendo en Nueva York y en otras ciudades de los Estados Unidos. El cargo para el que Arria me contrató era el de subdirector. La dirección propiamente dicha estaba en manos de un compadre de Hugo Pérez La Salvia, ministro de Minas e Hidrocarburos del gobierno de Caldera. Al hombre le tenían el ojo puesto porque se sabía que andaba en vainas raras. Tenía un carro Mercedes Benz llevado desde Caracas, con placa venezolana, y en el parabrisas un permiso de circulación de la alcaldía neoyorquina, algo absolutamente inusual. Apenas llegué, me percibió como una persona ajena y decidió hacerme la guerra. Él tenía por socio a Robert Malito, secretario de John Lindsey, el alcalde de Nueva York. Por trabajar en la oficina de turismo yo viajaba a Caracas, cada 15 días, en los aviones de Viasa, y era frecuente que me pidieran el favor de hacer encomiendas entre una ciudad y la otra. Un día, en plena guerra del director en mi contra, tuve un presentimiento y me negué a llevar unos paquetes de Caracas a Nueva York. Cuando llegué al aeropuerto, los agentes de Inmigración me detuvieron para revisarme el equipaje. Les dije que yo era funcionario diplomático, que estaba acreditado en Naciones Unidas y que gozaba de inmunidad. Como vi que insistieron, dejé que abrieran la maleta. No tenía nada que ocultar. Mientras metía la mano entre la ropa, uno de los agentes me comentó que él había hecho un curso de inteligencia policial con Juan Martín Echeverría, en la Interpol, en París. Le dije que yo conocía mucho al doctor Echeverría, qué grata coincidencia, y tres boberías más. Cuando terminó de revisar el equipaje me confió que la razón por la cual me habían detenido era que se había hecho la denuncia de que yo traficaba drogas. Pensé: "Este es el viejo".

Robert Nussbaum, el hombre que manejaba la publicidad de la oficina de turismo, tenía por suegro a un viejo peletero, Alex Koskowitz, un judío que formaba parte de la mafia de las pieles y del boxeo en Nueva York. Dado que Koskowitz tenía contactos muy buenos en la policía, Nussbaum me dijo que le iba a pedir que averiguara quién estaba detrás de la mentira de que yo era un traficante. Descubrimos que la denuncia la había hecho el secretario del alcalde, no en vano de apellido "Malito", por solicitud del director de la oficina de turismo. Me comuniqué de inmediato con Diego Arria y le conté, y Diego tomó la decisión de que había que sacarlo, solo que se nos atravesaba la dificultad de que el tipo tenía protectores dentro del gobierno venezolano. Por fortuna, la solución que encontramos dio resultado. Diego le instaló un despacho paralelo y le atribuyó unas funciones meramente nominales. Eso fue en 1972, al año de haber llegado a Nueva York. Entonces me hice cargo de la dirección de la oficina.

Lamentablemente, esa no ha sido la única vez que he sido víctima de gente mala, "malita" y maluca, e igualmente poderosa. Aparte de las amenazas y los insultos a los que he sido sometido, a veces de manera terrible, por el gobierno chavista, hubo otros dos casos de veras dramáticos. El primero fue a finales de los ochenta, cuando me iniciaba como conductor del programa matutino "En confianza", en Venezolana de Televisión. El año 79, Armando de Armas, el dueño del conglomerado de medios impresos Bloque de Armas, me había ofrecido una vicepresidencia de su empresa. Me invitó a Miami para hablar conmigo. Luego de escucharlo, le agradecí el ofrecimiento pero lo rechacé, porque lo mío eran la radio y la televisión, no periódicos ni revistas, aun si eran famosas, y de gran circulación. Le hice este comentario: "Señor De Armas, usted tiene hijos, ¿por qué no nombra a alguno de ellos en el cargo?". Me respondió que prefería a una persona que no fuese su pariente y me dijo algunas cosas que me dejaron ver que no confiaba en la gente de su propio entorno. A pesar de que nuestra conversación fue cordial, mi negativa le molestó. Yo no me preocupé demasiado porque, a fin de cuentas, había sido sincero con él, y me regresé a Caracas.

En el 86, siendo presentador del programa "A puerta cerrada", en Radio Caracas Televisión, me llamó Alberto Federico Ravell, que era el presidente de VTV, para que me fuera a trabajar allá. Acepté. Me entusiasmaba cambiar de ambiente. El problema es que a los directivos de Radio Caracas mi renuncia les desagradó. Los astros coincidieron para mal: a los meses, desde el *Diario 2001*, uno de los pasquines del Bloque de Armas, a través de la columna de la fulana "Chepa Candela", que es una olla de pudrición y amarillismo, comenzó una campaña de desprestigio feroz en mi contra que duró casi 3 años. Cada día inventaban una injuria. Me decían gay, cocainómano, drogómano, ¡de todo! Incluso inventaron que

Gilberto Correa y yo éramos amantes. Gracias a Dios mis hijos estaban pequeños, lo que nos permitió a Bolivia y a mí soportar la situación con estoicismo y sobriedad, a pesar de que el ataque era abierto y repugnante. Desde las pantallas de VTV, cuando comentaba las noticias del día, adrede, dejaba de lado los periódicos del Bloque de Armas. Eso arrechaba más al viejo, que llamaba por teléfono a Marta Colomina para exigirle que me ordenara mencionar al aire todos sus diarios. Marta había sustituido a Ravell en la presidencia del canal. ¡Mira si tenía cojones el viejo Armando de Armas!

La lucha continuó, con la "suerte" de que De Armas también tenía una guerra con Miguel Ángel Capriles, el propietario del grupo de medios conocido como la Cadena Capriles, hoy Grupo Últimas Noticias. Yo había conocido a Capriles en mis comienzos en el periodismo, cuando hice pasantías en el diario *El Mundo*, con Rafael Poleo. Nos reencontramos a raíz del conflicto y comencé a ir a su casa, los sábados, de visita. Me gustaba escucharlo hablar de política y de la situación en la que estábamos. Para protegerme, en el programa de VTV me puse públicamente de su lado en el conflicto con De Armas. Como venganza, en el *Diario 2001* publicaron una caricatura en la que aparecía Capriles y yo a su lado con una gallina entre las manos. Para mayor colmo, era el gobierno de Jaime Lusinchi y su secretaria privada, Blanca Ibáñez, que era su amante, como lo sabía todo el país, tenía un poder inmenso en el manejo de los asuntos públicos. Blanca me llamó y, con la altivez y la arrogancia que la caracterizaban, quiso ordenarme que no me metiera en los problemas que tenían

Capriles y De Armas. En ese momento Venezolana de Televisión ya era un canal del Estado y Blanca Ibáñez pretendía manejar la línea informativa. Cada vez que algo le molestaba, llamaba por teléfono a Marta Colomina y le gritaba como una loca. Era una vergüenza aquella situación, que inexplicablemente Lusinchi permitía. Jaime estaba completamente obnubilado, embrujado, babeado por esa mujer, que todavía anda por ahí...

¿Por qué no te enfrentaste judicialmente a De Armas? Eras una figura pública influyente y todo el mundo ha sabido siempre que la columna de Chepa Candela está llena de vulgaridades y mentiras.

No lo demandé por una razón muy sencilla: De Armas tenía poder en los tribunales. Compraba abogados, jueces, fiscales. Tenía mucha plata y en este país, desgraciadamente, el que tiene plata a veces logra comprar a la justicia. Rodolfo Rodríguez García, tremendo ser humano, uno de los mejores empresarios de la televisión y la radio de todos los tiempos en Venezuela, conocía mucho a Bolivia porque su hija, Martha Rodríguez Miranda, había estudiado con ella en Nueva York. Nos llamó. Pidió hablar conmigo. Rodolfo era uno de los directivos principales de Venevisión. Me recomendó que hiciera las paces con De Armas, que me sentara a negociar. Tiempo atrás, Gustavo Cisneros también había tenido un problema con el susodicho y el asunto se había resuelto con un acuerdo cara a cara. Otra persona que se ofreció como intermediario para lograr un arreglo fue Mario Villarroel Lander, un gran amigo mío, presidente de la Cruz Roja de Venezuela y en aquel momento abogado del grupo De Armas. Tanto a Rodolfo como a Mario les dije que de ninguna manera me iba a sentar a hablar. Yo no había hecho absolutamente nada incorrecto. No tenía ninguna deuda con De Armas. Por el simple hecho de haberme negado a un empleo que él quería que yo aceptara me había sometido a mí y a mi familia a un escarnio sin nombre. Además, Bolivia me había dicho, con razón, que si aceptaba negociar con De Armas, nos divorciábamos.

Me sentía muy incómodo. Me preguntaba si habría gente que creía las mentiras que se decían sobre mí. Un día, Bolivia, los niños y yo estábamos caminando por una calle del municipio Chacao, durante las celebraciones del Carnaval. En eso yo vi que venían unos hombres tomándose unas cervezas. Se me quedaron viendo y me dije: "Me jodí. Estos se van a hacer eco de Chepa Candela y quién sabe qué me dirán". Estaba equivocado. Se acercaron, saludaron, hicieron referencia a los ataques del *Diario 2001* y me expresaron su solidaridad: "No le hagas caso a esa vaina", dijeron. Recuerdo que uno de ellos me confió esto: "Yo tengo mucho que agradecerte, Bocaranda. Una mañana, en 'A puerta cerrada', tú hiciste un programa sobre la importancia de que los padres sean cariñosos con sus hijos varones. Ese día yo aprendí que darle amor a un hijo no significa que uno lo esté mariqueando". Se despidieron y siguieron su camino. Y yo me tranquilicé.

Finalmente, el viejo De Armas se cansó de insultarme y la guerra se acabó, aunque hace unos años sucedió algo que me pareció como mandado por el destino. Ya había llegado

Chávez al poder y en mi columna de prensa yo escribí que los dueños de un famoso "grupo de medios" estaban negociando su venta con el gobierno. A los días me llamó una fuente, que es abogado, y me dijo: "Chico, ¡qué buena vaina les echaste a los De Armas! ¡Te vengaste luego de tantos años!". Yo le contesté que no sabía de qué me estaba hablando, que simplemente había informado, sin mencionarlos con nombre y apellido, que querían venderle la empresa al chavismo. El informante me contestó: "Es que el negocio se vino abajo apenas tú lo revelaste".

En 2009 estuviste nuevamente en una situación límite cuando Alfredo Catalán, exalcalde del municipio caraqueño de El Hatillo, a quien habías señalado como corrupto, te denunció por injuria. El gremio periodístico y organizaciones dedicadas a la defensa de la libertad de prensa estaban muy atentos a cualquier cosa que pudiera sucederte.

Ese es el segundo caso al que quería referirme como víctima de una enemistad muy brava. Fue una pelea que incluso duró más años que la pelea con De Armas, porque llegó a los tribunales. Comenzó por una estupidez, aunque una estupidez con consecuencias peligrosas, porque quisieron matarme. Viendo lo pésimo que era el trabajo de Catalán, como vecino que era y sigo siendo de la zona de El Hatillo, dije en vivo, por la radio, que el municipio se merecía una mejor gestión de gobierno. Eso fue todo, pero bastó para que, al día siguiente, se presentara en mi oficina Pedro Catalán, el padre del alcalde, coronel retirado, dispuesto a asesinarme. Me salvé porque no estaba allí, porque si hubiese estado no estaría echando este cuento. De manera violenta preguntó por mí y, cuando le dijeron que no estaba, comenzó a gritar que me iba a matar, que no le importaba ir preso porque, por ser un viejo, lo condenarían a unos pocos años de cárcel. Apenas me llamaron para darme la noticia fui a ver a mi abogado, el doctor Echeverría, y decidimos hacer de inmediato la denuncia ante la Fiscalía de la República. Y me dije: "Si así es la cosa, voy a publicar en la prensa todo lo que logre averiguar sobre las marramucias de Catalán". Y a pesar de las amenazas, comencé a darle duro. Catalán fue tan deshonesto como alcalde que quien lo sucedió en el cargo, Myriam Do Nascimento, también nefasta, adelantó investigaciones y confirmó un dato que yo había puesto en la prensa: Alfredo Catalán tenía una suerte de alcaldía paralela que emitía permisos y solvencias para la corrupción que lo beneficiaba.

Era miembro del partido Proyecto Venezuela, de oposición. Cuando, luego de un primer período, lanzó una nueva candidatura, en 2004, con la intención de mantenerse en el cargo, yo fui a hablar con la gente de Primero Justicia, el partido también de oposición que lo apoyaba en Caracas. Les dije que Catalán era un hombre turbio, que ellos lo sabían y que a cuenta de qué lo respaldaban. La respuesta fue que era un acuerdo político con Proyecto Venezuela. Eso me decepcionó mucho. De pronto sentí que era cierto eso del "Quítate tú pa' ponerme yo" y que en este país los arreglos de poder son transacciones en las que no se toma en cuenta si la persona con la que estás negociando es o no corrupta.

Eso es secundario. Lo principal es beneficiarse, cueste lo que cueste. ¿Cuál fue la consecuencia? Que Catalán volvió a ganar las elecciones y siguió haciendo negocios. Al exgobernador del estado Carabobo Henrique Salas Römer, el cacique de Proyecto Venezuela, la alcaldía de El Hatillo le pagaba los guardaespaldas, que eran policías del municipio. ¿Por qué los vecinos tenían que subsidiarle los lujos a Salas Römer, a quien de paso dinero no le falta? ¿Y cómo es que se inutiliza a miembros de la policía municipal, que debe estar al servicio de la comunidad, mandándolos lejos, al estado Carabobo, para que cuiden a un exgobernador? Era inaceptable. Por eso, en 2009, cuando Catalán sale de la alcaldía y me denuncia por todo lo que yo he publicado sobre él durante varios años, le cerré la puerta a todos los que vinieron a ofrecerme, como cuando la guerra con De Armas, que negociara el cese de la rencilla... ¿Cuál rencilla? Mi trabajo como periodista consistió en decirle a la gente lo que el tipo estaba haciendo a costa de ocupar un cargo público y de elección popular. Yo no iba a negociar absolutamente nada.

Primero me contactaron algunos amigos periodistas para proponerse como intermediarios con Salas Römer, para pedirle que convenciera a Catalán de que retirara la denuncia. Jamás. Previamente, ya Catalán me había pedido 400 mil bolívares para liquidar el asunto. Ni que me hubiera pedido un centavo hubiera aceptado yo ese chantaje. Un socio suyo, a sabiendas de mi negativa, se ofreció a poner él ese dinero. Quería que el impasse se acabara dado que lo perjudicaba. Le respondí que si él llegaba a un acuerdo con Catalán era asunto suyo, pero que yo no participaría en pactos de ninguna especie.

Por esa misma fecha yo había revelado en prensa que el entonces diputado Reinaldo García, vinculado a la temida dirigente chavista Lina Ron, había sido el cerebro de la profanación de la sinagoga de Maripérez, en Caracas, que una mañana amaneció desvalijada sin que nadie supiese quiénes eran los autores del delito. Me enteré de ello gracias a un oficial de la Policía Metropolitana que fue obligado, so pena de castigo, a formar parte del comando de saqueadores. A los días me llamó un viejo periodista de *Últimas Noticias* para decirme que el diputado García y su abogado, un famoso personaje del régimen, se querían reunir conmigo. Este colega lleva medio siglo cubriendo tribunales y "asesorando" jueces y abogados... Acepté. Nos encontramos en el restaurante La Cita, en la urbanización La Candelaria, en el centro de Caracas. Habían reservado una mesa, casi secreta, en el segundo piso. Nos saludamos con cordialidad. Para suavizar el ambiente, le dije a García que yo estaba de acuerdo con algunas críticas que él mismo le había hecho al gobierno. Muy bien. El abogado intervino y me tuteó: "Nelson, tú tienes encima la demanda de Catalán, por injuria, si nosotros te demandamos por la misma causa, vas a ir preso porque no se pueden seguir dos juicios de esa naturaleza en libertad", y abrió un bolsito que tenía a un lado y agregó: "Si echas aquí 50 mil, nos olvidamos de esta vaina". No sé si fantaseaban con que yo llevaba esa cantidad en el bolsillo, pero lo cierto es que pensaban que podían comprarme. Le respondí: "Iré preso". Insistió, por otra vía: "¿Tú nunca has deseado ser dueño de una radio? Yo hablo con Diosdado Cabello y te regalamos una. Dices que eres chavista y ya está. Ahí tienes tu estación para que la manejes". Me volví a negar. Antes de irnos, cada quien por su lado, el abogado sacó un fajo de billetes y se lo lanzó al periodista de *Últimas Noticias*, que había asistido al encuentro. De un lado al otro de la mesa voló el dinero. Le dijo: "Allí está, para tus gastos". De permanecer el chavismo en el poder, en cualquier momento nombran a este hombre magistrado del Tribunal Supremo de Justicia. Ha sido candidato varias veces.

Finalmente, ni la denuncia de Catalán ni la del diputado García prosperaron. Por un desfase en los lapsos del tiempo jurídico no coincidieron y no fui preso. Fuera de la alcaldía, Catalán fue denunciado por personas que habían sido agraviadas por él y, para alejarse, se fue a Miami. Allá, en el consulado de Venezuela, firmó un documento donde desistía de la demanda. En cuanto a García, dejó que el asunto se muriera solo. Lo que querían era plata, además de someterme a una angustia. Bandidos.

Dada la manera como funcionan las cosas, no solo en Venezuela sino en el mundo entero, no es descabellado pensar que algunas veces te han ofrecido dinero para que publiques información conveniente para personas o grupos de poder. ¿Ha sido así?
La verdad es que no. Lo que sí ha sucedido es que ha habido gente que ha querido hacerme regalos como para premiarme por haber dicho o publicado algo que a ellos los ha beneficiado por una razón o por otra. Yo se los devuelvo.

No me interesan. El día que yo acepte algo así me derrumbo como periodista, pierdo la ética y la independencia. Con todo lo que yo he dicho, con la cantidad de funcionarios y exfuncionarios que me odian, si yo fuese un palangrista habrían acabado ya conmigo. No se pueden lanzar piedras si uno tiene techo de vidrio. Una noche, en un coctel en una embajada, me enteré de que una empresa italiana accionista de una marca de telefonía venezolana había hecho una demanda y que, en tribunales, la habían engavetado porque el demandado tenía comprados a los fiscales. Lo publiqué. Pocas semanas después me llamó un buen amigo, escritor, para pedirme que fuera a visitarlo. Cuando llegué a su casa me dio una caja muy elegante. Adentro había un collar de esmeraldas y diamantes para Bolivia, valorado, según él, en 30 mil dólares. "¿Y esto?", le pregunté. "Te lo manda Fulano de Tal, para agradecerte. Apenas dijiste lo de la demanda, se creó un revuelo, se destapó el negocio y la empresa X, de la cual él es el presidente, resolvió el problema que tenía". Agarré el regalo y me fui a mi casa. Busqué a mis hijos, les conté, les mostré el collar y les dije que iba a devolverlo. Me pareció que podía ser una buena lección de vida para ellos. Volví adonde mi amigo y le pedí que se encargara de regresarle al empresario la cajita de los 30 mil dólares.

En otra ocasión, hace pocos años, me sucedió algo parecido pero más burdo. Bolivia y yo cenábamos en un restaurante. Conversábamos cuando un mesonero nos puso sobre la mesa una botella de champaña. "Se las envía el señor Mengano, que está allá", y lo señaló. Me levanté a saludarlo. Me dijo que respetaba mucho mi trabajo y que le era grato encontrarse conmigo y con mi mujer. Yo sabía muy bien quién era: tenía negocios con PDVSA, pero me hice el pendejo y le di las gracias. Hasta allí, todo bien. A la mañana siguiente recibí una llamada de un sastre caraqueño muy famoso entre gente adinerada. Era para concertar conmigo una cita para tomarme las medidas para un flux. Como se dio cuenta de que yo no entendía de qué me estaba hablando, me explicó que el hombre de la champaña, para mayores señas dueño de una aseguradora, quería mandar a confeccionarme un traje de primera calidad a uno de los mejores talleres de Londres, "porque él desea ser su amigo". Me negué, por supuesto. "Señor Bocaranda, por favor, acepte. Eso me permitirá ganarme un dinerito". Colgué el teléfono. ¿Qué clase de persona hay que ser para creer que la amistad se compra? ¡Y con un flux! Cuatro años después, ahí está: el tipo está señalado por casos de corrupción.

Otra cosa que es evidente, y lo demuestra el hecho de que aceptaste verte con Reinaldo García y con este encumbrado abogado gobiernero, es que tú tienes el valor de reunirte con gente que forma parte del chavismo y que a veces es mala y temible. ¿No te da miedo?

A la reunión con García me acompañó el hijo del doctor Echeverría, también de nombre Juan Martín, abogado del bufete de su padre. Fui porque había la amenaza de una denuncia y queríamos escuchar qué iba a decirnos el hombre. Además, el encuentro me permitiría enterarme de alguna cosa: bien porque ellos me la dijeran directamente, bien porque se les saliera, bien porque yo la dedujera. A veces para enterarse hay que arriesgarse. Otras, no. Puede ocurrir, por ejemplo, que me consiga con una persona del gobierno en una reunión social, por carambola, y que me diga algo relevante. O que me dé un dato que, por pequeño que sea, me permite empatar informaciones previas que he recibido. Más de un funcionario chavista me ha permitido adelantar en la prensa cambios que habrá en el gabinete, expropiaciones o detenciones en marcha y otras minucias de la revolución bolivariana. En cuanto a si me da miedo, creo que he aprendido a ser precavido. El oficio lo obliga a uno a desarrollar un instinto que es fundamental para saber cuándo hay que huir. En no pocas oportunidades he dejado pasar información que si me decidiera a publicar me metería en problemas. Uno de los hábitos más frecuentes en el mal periodista es ir por la vida contándole a todo el mundo cuanta cosa escucha. Comienzan a pisar peines y se desprestigian.

Paradójicamente, la vez que he estado más cerca de que me metan un tiro no ha sido por razones profesionales sino de faldas. Era soltero. Fue en 1976. Frank Briceño Fortique, que había sustituido a Diego Arria en la dirección de Corpoturismo, me llamó a Nueva York para pedirme que lo acompañara a Túnez a una cumbre de la Organización Mundial de Turismo. Nos reunimos con Habib Bourguiba, que fue dictador del país por más de 30 años, y Bourguiba nos regaló a cada uno un burnús, una capa árabe muy popular. De vuelta de Túnez pasé por París para visitar a Marylin Plessman, un mujerón que había representado al estado Guárico en el concurso Miss Venezuela, en 1972, y que era una modelo internacional. Me gustaba y quería verla para probar suerte. El día que iba a visitarla, se me ocurrió disfrazarme con el burnús que me había regalado Bourguiba. Con la capucha me cubrí la cara. Marylin vivía con una amiga, Katy Sans, en una zona muy exclusiva de París. Puedo decir la dirección exacta: 22 boulevard Jean Mermoz, en Neuilly-sur-Seine. Cuando el ascensor se detuvo en el piso de su casa y se abrieron las puertas, dos gendarmes armados hasta los dientes se me fueron encima. Yo me quedé helado. No entendía qué estaba pasando. Como pude saqué el pasaporte diplomático venezolano y comencé a gritar: "Je suis un diplomate! Je suis vénézuélienne!" Fue peor. Se armó un escándalo. Marylin y Katy salieron del apartamento y comenzaron a explicarles a los tipos quién era yo. Solo entonces bajaron las ametralladoras. En el mismo piso de ellas, enfrente, vivía Michel Poniatowski, el ministro del Interior del gobierno francés, que había recibido amenazas de grupos árabes radicales. Para colmo, unos meses atrás el terrorista Ilich Ramírez Sánchez, mejor conocido en todo el mundo como Carlos, el Chacal, ¡venezolano!, había asesinado a dos funcionarios policiales en un apartamento de la rue Toulliers, un caso muy sonado. Los gendarmes tenían razones para sospechar de mí. Entre Marylin y yo no pasó nada, ¡ni que hubiera querido! ¡Del susto quedé inhabilitado por varios días!

A El Chacal yo lo conocí cuando todavía no se sabía que andaba por mal camino, o al menos yo no estaba enterado. Debe haber sido en 1973, 74, en un coctel en la embajada de

Venezuela en Londres, a donde él iba mucho. Cada vez que había una fiesta, se presentaba. Le gustaba la parranda. Un día, por casualidad, yo estaba allí y él también. Era muy deseado por las mujeres porque tenía fama de playboy y parecía millonario. Andaba en un carrito descapotable, de lujo, de marca MG. Después, cuando apareció en las noticias, me costó creer que ese criminal era el mismo carajo que volvía locas a algunas amigas mías. María Teresa Lara, comunista, redactora del noticiero de CVTV, compañera mía de trabajo, fue la que comenzó a presentar a Ilich Ramírez como "Carlos". Lo ayudó a crear la doble identidad. Fue una de sus aliadas, en París.

Aunque parezca mentira, yo pude haber sido víctima de El Chacal. El 21 de diciembre de 1975 se celebraba en Viena, en la sede de la Organización de Países Exportadores de Petróleo (OPEP), una cumbre especial. Valentín Hernández Acosta, el ministro de Energía y Minas del gobierno de Carlos Andrés Pérez, asistía, por supuesto. En plena sesión, un comando terrorista a cuya cabeza estaba El Chacal secuestró a los asistentes. Fue un lío mundial. Yo estaba en Nueva York. Unos días atrás había conversado con VTV a propósito de la cumbre: había la idea de que me fuese a Viena a darle cobertura. A última hora, me llamaron para decirme que estábamos en vísperas de la Navidad y que en vacaciones aquella reunión no tendría relevancia para la audiencia, y el viaje se canceló. Por ser venezolano, al ministro Valentín Hernández el resto de los rehenes lo designó como vocero en las negociaciones con El Chacal. No quiero imaginarme que, de haber estado yo allí, me tocara pasar por el mismo drama.

Cuando El Chacal fue condenado a cadena perpetua, en Francia, hace unos años, recuerdo que Eduardo Mayobre, el economista, contó que Hernández Acosta una vez le dijo que cuando el secuestro terminó, El Chacal se le acercó, le dio una bala y le dijo: "Tome, esta era la bala con la que iba a matarlo si esto no nos salía bien".

Valentín Hernández llevó siempre esa bala encima, como un amuleto. El Chacal le dijo que si se hubiera tomado la decisión de asesinar a los rehenes, él iba a ser el primer muerto. Hay una cosa que se sabe poco, y es que cuando cayó el Sha de Irán, a comienzos del 79, Hernández Acosta todavía estaba en el gobierno y se encargó de esconder aquí a Shapour Bakhtiar, el primer ministro iraní, que había tenido que huir. Bakhtiar estuvo un tiempo oculto en un apartamento del Club Camurí, en Naiguatá, pero eso no trascendió a la prensa por razones de seguridad. Era un asunto de cuidado. Después se exiló en Francia y los extremistas lo asesinaron en París, en 1991.

Con el ministro Hernández Acosta viajé yo por el Medio Oriente cuando el presidente Pérez realizó su famosa gira por los países árabes, en el 77. Allí volvió a aparecer El Chacal, en boca de Sadam Husein, que era el segundo a bordo del gobierno de Irak. Husein le dijo a Carlos Andrés que Ilich Ramírez andaba "por ahí", sin dar detalles. Esto lo sé porque fui yo quien se encargó de dirigir todo el servicio de prensa de ese viaje. Era un trabajo que le correspondía a Clemente Cohen, el director de la Oficina Central de Información, pero Cohen era judío y no podía. Entonces me llamaron a mí para que asumiera la responsabilidad y yo, encantado. Fuimos a Qatar, Kuwait, Arabia Saudita, Irán, Irak y terminamos en Viena, aunque antes hicimos una parada, fuera de protocolo, en Argelia. Pérez quiso ir a saludar al presidente Houari Boumédiène y eso a mí me permitió reencontrarme con Abdelaziz Bouteflika, el actual presidente de la República Argelina, que por aquella época se desempeñaba como ministro de Relaciones Exteriores. Nos habíamos conocido en Nueva York, un par de años atrás, en Naciones Unidas. Bouteflika estuvo un tiempo empatado con una funcionaria diplomática de la misión de Venezuela ante la ONU. Yo he mantenido contacto con la gente de Bouteflika. El año 2014 me pasaron información, desde Argel, sobre la gira que el ministro chavista Rafael Ramírez emprendió para tratar de levantar los precios del petróleo.

El caso es que para ultimar los detalles de la llegada de Pérez al Medio Oriente, yo arranqué antes. Salí de Nueva York hacia París acompañado por Eloy Enrique Porras, periodista de la Cadena Capriles, que también iba a trabajar en la gira. En el vuelo de TWA iba en primera clase, junto a nosotros, la actriz y modelo Raquel Welch, una de las sensaciones del momento en el mundo. Eloy Enrique escribió una crónica bellísima y muy divertida que tituló: "Yo dormí con Raquel Welch sobre un colchón de agua". No podíamos creer que estuviera allí. De París seguimos a Qatar.

Unas semanas atrás, el ingeniero Santiago Aguerrevere, el capitán de navío Diofantes Torrealba, edecán del presidente Pérez, y yo habíamos hecho un breve recorrido por los países de la gira para preparar los equipos de transmisión. Los árabes son muy tocones entre ellos. Entre varones se besan y se agarran las manos y Aguerrevere, que era más machista que el carajo, estaba desesperado. Yo le decía: "¡Ten cuidado, mira que, según la costumbre, si les aprietas mucho la mano significa que te gustan y si se le las sueltas es para que te peinen!". Esa jodedera hizo que, posteriormente, a mí se me ocurriera la idea de echarles una vaina a los miembros de la comitiva de Pérez. Como al llegar a Medio Oriente, con Eloy Enrique, me habían dado un traje árabe y yo usaba un bigote tipo candado, el día que el presidente llegó me disfracé, me puse unos lentes oscuros y fui a meterme en la fila de recepción para saludar a los visitantes. Carmelo Lauría, que era ministro de Industrias Básicas, me dio la mano y yo le lancé un beso y le hice un gesto amanerado. Él comentó: "Buena vaina, a mí me tocó el marico". Imitando un español con acento árabe, le dije: "¿Perdón? ¿Cómo, cómo? Yo entender, ¡ah, hermano!" ¡A Lauría casi le da un soponcio de la vergüenza, no sabía qué hacer! Así también engañé a Mario Abate, el fotógrafo del presidente, que luego fue mi compadre. Cuando le dije que era yo, se hizo mi cómplice y me acompañó a seguir embaucando gente. Fuimos a buscar a las aeromozas del avión donde había viajado el presidente y Mario les dijo que yo era un emisario del reino y que quería saber qué les gustaría recibir de regalo. Las mujeres se emocionaron: una pidió un reloj, otra un collar, otra una alfombra. Chepino Gerbasi, corresponsal de *El Nacional*, fue otra de las víctimas. Le dijimos que el Emir quería que le preparara uno de sus famosos espaguetis. Chepino se levantó de inmediato y preguntó si podíamos mandar a buscar unos ingredientes especiales a Roma, que para eso estaban los aviones. Por el diario *El Universal* estaba como reportero Carlos "El Negro" Chávez, de la fuente de Economía. Lo buscamos en su habitación, yo actuando como funcionario, y le dijimos que lo mejor era que no saliera a la calle. Montó en cólera y preguntó si era por ser negro, y que él de inmediato hablaría con el presidente Pérez. Cuando supo que era una broma se echó a reír.

Otro que cayó fue Andrés de Chene, del Bloque de Armas, que hoy es chavista. Como además de periodista era presidente de la Liga Venezolana de Béisbol Profesional, se nos ocurrió decirle que el gobierno de Qatar había manifestado su deseo de reunirse con él porque estaban interesados en importar el béisbol a ese país. De Chene se puso como un muchacho. Era un fanático como pocos de la pelota y dijo: "¡Caramba, ese es el titular de mañana! ¡El béisbol venezolano llega a Qatar! ¡Ese negocio nos dará un dineral!". El único que se molestó con la joda fue Gonzalo Plaza, el traductor oficial de Carlos Andrés. Yo le dije en inglés, delante de los demás, la mentira de que su traducción era muy mala. ¡Mejor que no! No se murió de la arrechera porque Dios es muy grande. Me quitó el habla por años. Un día por fin conversamos y me dijo que no aceptaba que lo hubiera "humillado" delante de otros colegas. No era para tanto. Todos en el grupo estábamos en lo mismo, contentos por el viaje del presidente Pérez por los países árabes apenas un año y pico después de la nacionalización del petróleo. Venezuela era un país pujante, líder en el Tercer Mundo. En todas las naciones a las que fuimos nos recibieron muy bien. Sin excepción. Fue una gira asombrosa. Ahora parece la prehistoria, pero en ese momento era una cosa muy viva.

En Irán fuimos a una cena con el Sha, apoteósica. Con cubiertos de oro y todo. A la salida del salón había detectores de metales para impedir que los invitados se los robaran. A una venezolana de la delegación oficial la descubrieron con una cucharita en la cartera, pero fue un cuento que me echaron sin decirme el nombre de la pecadora. El Sha me impresionó mucho. En el aeropuerto de Teherán, mientras esperábamos que llegara el avión donde viajaba Carlos Andrés, me di cuenta, al verlo sentado con las piernas cruzadas, que la suela de sus zapatos estaban totalmente nuevas. No se notaba en ellas rastro alguno que indicara que los había usado nunca. Parecían recién sacados de la fábrica. Era un par de zapatos de cuero marca Bally, no se me olvida. Me acerqué a su jefe de seguridad y le hice el comentario. Me explicó: "El Sha es un dios y no puede pisar la tierra". En efecto, cuando el hombre caminaba le extendían una alfombra roja para que no tocara el piso. Yo me quedé con esa imagen en la cabeza y cuando lo derrocaron, pensé: "Fue la alfombra. La alfombra lo separó de la realidad". Conservo una foto que me hicieron mientras lo entrevistaba, en la pista de aterrizaje del aeropuerto. No estoy muy contento con esa entrevista. Lo del zapato me tenía nervioso y no estoy seguro de haberle sacado al encuentro todo el jugo que hubiera podido.

Otra experiencia singular fue ver a Pérez bailando con el príncipe Abdalá bin Abdelaziz, el ministro de la Defensa, que ascendió al trono en 2005 y fue rey hasta su muerte, en 2015. Bailaron juntos una danza tradicional árabe, la de los sables, acompañados por otros hombres, todos agarrados de manos, en círculo. El príncipe era aficionado a la cetrería, ese tipo de caza que se practica con aves rapaces adiestradas. Nos llevaron al desierto y vimos cómo los halcones reales alzaban vuelo desde los antebrazos de los cazadores para volver al rato con conejos muertos entre las garras.

Dos veces por día yo grababa reportes que VTV transmitía en las mañanas y en las noches. Informaba sobre cada una de las reuniones que había tenido o iba a tener el presidente Pérez con los ministros de petróleo y con los mandatarios de los distintos países de la gira. Era un trabajón. Terminaba molido. Aunque los reportes no eran en vivo y directo, la diferencia de horario me imponía una agenda de una exigencia brutal. ¡Cuánto no vivió uno como reportero durante la democracia! Yo, que no me consideraba ni adeco ni copeyano, en general tuve siempre libertad para ejercer de periodista con gobiernos tanto adecos como copeyanos. Hoy en día, para trabajar en el canal del Estado, el canal "de todos los venezolanos", como ellos mismos dicen, hay que ser chavista y si no callarse la boca, para que no te descubran. El colmo. Gracias a Dios que hoy la tecnología nos permite romper los cercos informativos.

¿Cómo llegaste al mundo digital?

Luego de trabajar en las radios Aeropuerto, Continente y Capital, entré por unos meses en KYS 101.5FM y luego al grupo Unión Radio, primero en Onda La Superestación, que inauguré tras esperar siete meses su lanzamiento, y luego en Éxitos FM, donde me mantengo. Cuando en 2009, por presiones del gobierno, me retiraron tres meses del aire, un gran amigo y excompañero de Venevisión, el abogado Eduardo Hauser, quien en marzo de ese año me había entusiasmado para que entrara en Twitter, se reunió conmigo, con Bolivia y con mis hijos y me recomendó montar una página bajo el nombre Runrun.es, que era una marca mía desde 1982. "Así tendrás libertad para salir con informaciones sin cortapisas ni medios controlados", me explicó. Dicho y hecho. Como Nelson Eduardo es un duro en tecnología, se convirtió en mi guía por la web y, poco a poco, tímidamente al principio, arrancamos con el portal. Estando en Miami los seis meses entre abril y octubre de 2012, decidimos crecer y ya con Hauser de socio invitamos a Miguel Ángel Capriles López, a quien conocía desde niño por la relación con su padre, a participar con nosotros. Hoy estamos entre los cinco portales informativos con más visitas en Venezuela

DE LA HABANA A HOLLYWOOD, ¡CODO A CODO!

Fue en la boda del general Fernando Paredes Bello con la funcionaria diplomática Esther Meneses, en la casa del embajador de Venezuela ante la ONU, en Nueva York, a mediados de los setenta. Bocaranda estaba allí y también el expresidente Rómulo Betancourt, a quien acompañaba su segunda esposa, Renée Hartmann. Previamente, en una cena de Olimpíadas Especiales, Nelson se había encontrado con Jackie Kennedy, había bailado con ella y le había prometido, a petición de la propia señora, que si alguna vez se presentaba la ocasión, él la ayudaría a reencontrarse con Betancourt, por quien sentía un gran afecto. El día, pues, había llegado. La casa del embajador de Venezuela ante la ONU quedaba a unos pocos pasos del edificio donde vivía Jackie, que ya era viuda por partida doble: había enterrado a John F. Kennedy y también a su posterior esposo, el millonario griego Aristóteles Onassis, con quien había vivido un matrimonio excéntrico y tormentoso. Bocaranda se acercó a Betancourt y le hizo la propuesta: podían ausentarse sigilosamente de la boda para ir a ver a Jackie. Sería una cita inolvidable, un hito en la memoria de un periodista que iba a ser testigo de la conversación entre uno de los políticos venezolanos principales de todos los tiempos y la ex primera dama de los Estados Unidos más célebre en el mundo entero. Betancourt aceptó, pero antes de partir fue a informarle de su incursión a doña Renée. Al rato volvió. La cara, desangelada. Y con su peculiar tono de voz, muy agudo, dijo: "¡Abortado el procedimiento, Bocaranda, Renée dice que yo siempre he estado enamorado de Jackie Kennedy y me prohíbe que vaya a verla!".

Y yo me quedé con las ganas de presenciar esa cita que, sin duda, me habría dado para mucho, pero Betancourt no pudo con los celos de la señora Hartmann. Hubiera sido fácil que Jackie nos recibiera, no solo porque le hubiese bastado con ver tan solo un segundo a Betancourt para reconocerlo, sino también porque quizá se acordaría de mí. Luego del baile en la fiesta de Olimpíadas Especiales, yo le había llevado de regalo unos libros de pintores venezolanos de la editorial Armitano. Qué se va a hacer. Hay encuentros que, aunque sean muy deseados, no se dan. En cambio hay otros que ocurren sin que uno los busque. En 2008, en un vuelo de la línea TACA de regreso de San José de Costa Rica, adonde había ido a cubrir un seminario del gurú hindú Deepak Chopra, me encontré con un amigo venezolano que yo sabía que tenía negocios con el gobierno cubano. Negocios con barcos pesqueros. Bolivia y yo veníamos en clase ejecutiva, al igual que este amigo, que a su vez estaba acompañado por un hombre a quien me presentó como su socio. Era cubano. Al escuchar mi nombre, me preguntó si yo era el mismo de la columna Runrunes, de *El Universal*. Le dije que sí y me confesó que el embajador cubano en Caracas, Germán Sánchez Otero, le enviaba mis artículos, todas las semanas, a su jefe. Al cabo de un rato de conversación, nos ofreció a Bolivia y a mí un regalo: nos dio a escoger entre una caja de habanos y un cenicero de Lladró alusivo al Festival Anual del Tabaco, que acababa de celebrarse en La Habana. Como ni Bolivia ni yo fumamos, preferimos el cenicero.

¿Quién era el jefe de este pasajero, que además viajaba en primera clase?

Lo supe antes de llegar a Maiquetía: el hombre que acababa de conocer era uno de los varios secretarios de Raúl Castro. Todavía lo es. Yo había publicado en mi columna que cuando Raúl asumió el poder, Chávez le había enviado de regalo, con el ministro Andrés Izarra, en un avión de PDVSA, una caja de whisky Johnnie Walker Etiqueta Azul. Entre serio y jocoso, este cubano me dijo: "Oye, chico, publica en cualquier momento que lo que toma mi jefe, toda la vida, es Royal Salute. Él siempre lleva en su Mercedes Benz su botellita de whisky y una cavita con hielo, porque le gusta *on the rocks*". Lo complací: unas semanas después, lo escribí en la prensa.

Raúl no es el único que recibía mis Runrunes. En 2006 me llamó Rafael Serfaty, ejecutivo de Unión Radio, para presentarme a Luis Correa, el director de la Organización Nacional Antidrogas, que quería conversar conmigo sobre algunos datos que yo había revelado. En esa reunión Correa me confesó que los organismos de inteligencia del gobierno interceptaban mi correo electrónico para agarrar mi columna antes de que se publicara, al día siguiente, en *El Universal*. De hecho me dijo a qué hora solía enviarla yo al periódico y que, apenas la obtenían, se la hacían llegar a Chávez. Así confirmé que el presidente me leía y que, tal como previamente me habían comentado mis informantes, a veces tomaba acciones con base en mis denuncias. El presidente Chávez nunca me desmintió ni se refirió a mí de manera despectiva.

¿Te mantuviste en contacto con este secretario de Raúl Castro?
Sí. A él le pedí que cuando su jefe pueda hablar, quizá después de la muerte de Fidel, me ayude a conseguir una entrevista con él. Luego supe, por otra vía, que le transmitió mi petición a Raúl y que este le dijo que sí. Volví a recordárselo cuando leí la entrevista que Sean Penn le hizo a Castro para la revista *The Nation*, en noviembre de 2008. Me comentó que ese encuentro fue posible gracias a la intermediación del propio Chávez. Luego coincidí con él en la isla de Margarita. Nos reunimos en el restaurante La Pimienta, en la avenida Aldonza Manrique, y conversamos durante largo rato. Me dio información sobre las reuniones secretas que se celebraban, fuera de la base de Guantánamo, entre militares cubanos y estadounidenses. Asimismo intercambiamos comentarios sobre Venezuela. Unos años más tarde, en mayo de 2012, el amigo me pidió otro favor, que le hice con gusto porque era un asunto noticioso. Por esos días Mariela Castro, una de las hijas de Raúl, estaba tramitando la visa estadounidense para asistir a un congreso de sexología, en San Francisco. Mariela es psicóloga, directora del Centro Nacional de Educación Sexual y defensora de los derechos de la comunidad LGBTI en Cuba. En 2008 incluso logró que fueran aprobadas las operaciones de cambio de sexo en la isla. El problema es que la colonia cubana exilada en Miami se oponía rotundamente a

que el gobierno de Barack Obama le otorgara el permiso de acceso al país. La solicitud que me hizo el secretario fue que dijera en mi columna que esa visita era el primer paso para una futura normalización de las relaciones diplomáticas entre Cuba y los Estados Unidos. Para disipar cualquier duda, los que piensen que estoy mintiendo pueden buscar mi columna del 24 de mayo de 2012.

Todo esto revela que tú tuviste una relación con allegados de los hermanos Castro desde muchos años antes de que Chávez se enfermara. ¿Fidel lo sabe?
No hay nada que pase en Cuba que Fidel no sepa.

¿Este hombre hablaba contigo durante los años del cáncer de Chávez?
Más que hablar conmigo, él hablaba de mí ante la nomenclatura cubana. Le recordó a su gente que yo supe guardar la confidencialidad en otras ocasiones. Hubo un momento en que incluso intercedió en una petición que yo hice. Después de que anuncié que Chávez padecía de cáncer y di detalles de lo que estaba sucediendo en las entrañas del gobierno venezolano, me comuniqué con él y le pregunté si me permitía hacerle una solicitud. Su respuesta fue afirmativa. Le dije que yo siempre había sido consecuente en el respeto de las informaciones que recibía, no solo de ellos sino del resto de mis fuentes, y que ahora que el presidente Chávez estaba enfermo, a mí me parecía que debía tener un gesto de humanidad y liberar a algunos presos políticos. Y le mencioné a la jueza María Lourdes

Afiuni. El secretario me dijo que iba a hacer lo posible para que eso fuese así, pero de entrada me advirtió que el único preso que no iba a recibir ninguna gracia era Alejandro Peña Esclusa, "porque Peña Esclusa es un preso del comandante Castro". Desde el Foro de São Paulo, Peña Esclusa había atacado ferozmente a Fidel y este había ordenado que lo metieran en la cárcel, en Venezuela. Lo agarraron, lo echaron en prisión y allí seguía. Unas semanas después de mi conversación con el amigo cubano, nos enteramos, para sorpresa de todos, de que acababan de liberar a Peña Esclusa. Me comuniqué de nuevo con él para preguntarle qué había pasado. Me explicó que Chávez había dicho que la jueza Afiuni ya tenía casa por cárcel y que eso era suficiente, y que se había mostrado reacio a poner en libertad a ningún preso. El secretario agregó: "Pero, chico, al menos liberaron al único preso que yo pensaba que no iba a salir nunca: el preso del comandante". A los días, en un club de playa, un domingo, coincidí con Peña Esclusa en la misa del mediodía. Me le acerqué y le dije que me gustaría almorzar con él. Durante la comida, a la que también asistieron Indira, su mujer, y Bolivia, le pedí que me contara cómo había sido su liberación. Dijo: "Yo todavía no lo sé. Abrieron la reja y me dijeron: 'Váyase. Está libre'. Los abogados aún no encuentran explicación". Cuando le conté lo que había sucedido, se echó a llorar, abrazado a su mujer. Fue tal la emoción que nos produjo verlo así a Bolivia y a mí, que también nos conmovimos.

Los cubanos son una cosa muy seria, tanto los que están con la revolución como los que luchan contra ella, y Venezuela, yo no sé por qué, siempre ha estado allí, en el medio.

Recuerdo cuando pusieron presos, en Caracas, a Luis Posada Carriles y a Orlando Bosch, por ser los autores intelectuales de la explosión que acabó con un avión de Cubana de Aviación, en 1976. Ambos eran anticastristas furibundos y como tenían nacionalidad venezolana, se decidió que se les juzgara aquí. En el accidente que habían causado murieron casi 80 personas. Un acto terrorista espantoso. Sin embargo, los cubanos radicales exilados en Miami no aceptaron que los castigara la justicia. Los consideraban unos héroes contrarrevolucionarios. La cogieron contra las sedes diplomáticas de Venezuela en los Estados Unidos, como venganza. Una mañana me llamó, muy apurado, Basilio Quiñones, el cónsul de nuestro país en Nueva York. La oficina de turismo, donde yo todavía estaba de director, quedaba muy cerca del consulado y llegué rápido, casi corriendo. Cuando entré a la oficina de Basilio, había sobre su escritorio una bomba, ya inactiva. Eran los cubanos antifidelistas que la habían puesto a la entrada del organismo para causar una explosión tremenda. Tuvimos la suerte de que el conserje del edificio donde funcionaba el consulado, un viejo italiano que les había servido a los antiguos dueños de la residencia, la acaudalada familia Vanderbilt, había trabajado en la guerra como especialista en explosivos. De madrugada escuchó ruidos, se asomó, vio la bomba y fue a desactivarla…

Sinceramente, algunas de las historias de las que uno se entera o que ha vivido son como para habérselas dado a Truman Capote para que hiciera algo con ellas. Pude haberlo hecho, por cierto, porque yo conocí a Capote, pero no lo hice. Nos vimos por primera vez en el 73, en un coctel en casa del diseñador Roy Halston. La interpretación que recientemente hizo de Capote el actor Philip Seymour Hoffman es perfecta, no tiene desperdicios. A mí me dio escalofríos: son la voz, los movimientos, la manera de ser de él. Capote era un centro de curiosidad perenne, impresionante, algo nada fácil en el mundo vinculado con el *show business* de Nueva York y Los Ángeles, donde abunda, entre otras cosas, la excentricidad. Lo sé por experiencia propia, porque durante unos años tuve la suerte de conocer por dentro esa realidad. Incluso íntimamente.

Yo llegué a Hollywood gracias a Héctor Soucy, el gran gastrónomo venezolano, cuya esposa, Marila Rodríguez, era amiga de Natalie Jacobs, la mujer del productor Arthur Jacobs. Cuando Arthur estrenó su película musical *Tom Sawyer*, Soucy me invitó al estreno, en Nueva York. Conocí a Natalie y a su marido, y quedó hecho el contacto entre nosotros. A los meses, Arthur murió, inesperadamente, de un infarto fulminante, y Natalie me buscó. Me había puesto el ojo y quería reencontrarse conmigo. Nos vimos y comenzamos un romance. Natalie era una celebridad, una mujer conocidísima entre la gente del cine y la farándula estadounidenses. Fui con ella a una entrega de los premios Oscar. Me impresionó encontrarme allí con el secretario de Estado Henry Kissinger acompañado por la actriz Candice Bergen. Tenían un noviazgo que daba mucho que hablar porque ella era una activista liberal y él un republicano consumado. Más impresionante que la ceremonia de los Oscar son las fiestas posteriores. ¡Hay champaña hasta ahogarse! Duran toda la madrugada, hasta el amanecer. Natalie y yo pasamos esa noche en un restaurante italiano muy famoso en Hollywood en esa época. Al día siguiente fuimos a comer con Jacqueline Bisset y su novio del momento, el bailarín ruso Aleksandr Godunov.

Desde el principio Natalie vivió con entusiasmo nuestro affaire. Hizo una fiesta para que sus amigos y yo nos conociéramos. Una suerte de "presentación en sociedad", en Beverly Hills, que salió reseñada en el *Hollywood Reporter*. Con ella conocí a Charlton Heston, quien un día nos ayudó a cambiar un caucho que se nos espichó frente a su casa, a Natalie Wood, a Robert Wagner, a Warren Beatty, a Groucho Marx, a Gene Kelly. Me gustaba estar allí porque gozaba con Natalie y además por la rareza de verme a mí mismo siendo testigo de las locuras de Hollywood, donde la mayoría de la gente lleva una vida verdaderamente exagerada. Gene Barry, por ejemplo, el famoso actor de las series "Bat Masterson" y "El nombre del juego", que en Venezuela trasmitía Venevisión, tenía como mascota una boa, ¡una boa! La guardaba en una pecera. Cuando quería mostrarla, apretaba un botón, se deslizaba una de las paredes de la pecera y la culebra salía. Yo la vi, coño, ¡yo la vi!

Hollywood, tras bastidores, es mucho alcohol y mucha droga, y yo ni consumo drogas ni soy bebedor, de manera que sabía que no podía durar demasiado tiempo allí metido. Lo mío era curiosidad. Para aguantar el ritmo de esa vida hay que tener un temperamento que no es el mío. Además, Natalie era aficionada a los gatos, y yo no podía con eso: gatos en el sofá, gatos en el baño, gatos en la cama. ¡Qué va! Me vine a Caracas y ella se vino detrás de mí, y le dijo a mi familia que se quería casar conmigo, pero yo no quise. Hubiese sido una locura, una unión artificial.

Cuando nos separamos no quedamos en malos términos, en absoluto. De hecho, en 1982, cuando Bolivia y yo celebramos nuestro matrimonio civil, fuimos a Los Ángeles y nos alojamos en la casa de huéspedes de la mansión de Natalie. Era una casita que quedaba en el jardín, en el área de la piscina, donde ella había instalado una figura inmensa de un mono que se había utilizado en la filmación de *El planeta de los simios*, película donde Héctor Soucy interpretó un papel, disfrazado de orangután. Natalie se había vuelto a casar. Su esposo era Roberto Foggia, gerente de Gucci, cuya tienda era la atracción de Rodeo Drive. Fui padrino de su boda. Luego tuvo otros dos maridos.

Durante mi época en Hollywood yo iba a misa, los domingos, a la Iglesia del Buen Pastor, en Beverly Hills. Varias veces me dio la cola Gene Kelly, con su familia. Me recogían en casa de Natalie e íbamos juntos al oficio religioso. Dado ese vínculo, cuando decidí casarme con Bolivia, lo llamé para que fuera nuestro padrino de bodas. Yo quería celebrar el matrimonio eclesiástico precisamente en esa capillita a la cual Gene y yo asistíamos juntos. Éramos parroquianos. Bolivia se había casado previamente por la iglesia y estábamos esperando la anulación del matrimonio, una gestión que pusimos en manos del monseñor Rafael Conde, representante de Venezuela ante el Tribunal Apostólico de la Rota Romana. Confiados en que la anulación saldría en la fecha que queríamos, compramos pasajes para ir a Hollywood y planificamos el viaje de luna de miel, pero la gestión se tardó más de la cuenta y se nos vino el tiempo encima. Entonces nos casamos por el civil y, para no perder el dinero, de igual manera nos fuimos de viaje. Paramos en California, en casa de Natalie, y de allí arrancamos hacia la Polinesia.

Natalie sigue viva, pero no hemos vuelto a hablar. En algún momento nos perdimos la pista. Hemos podido reencontrarnos, por mero azar, pero no ha sido así. En ocasiones posteriores a nuestra ruptura muchas veces fui a entrevistar a grandes personajes de los Estados Unidos. A ninguno de ellos los conocí cuando salí con Natalie. El ser más raro entre todos con los cuales traté en mis andanzas faranduleras era Andy Warhol, que formaba parte del grupo de Halston. Su aspecto me daba grima. Era de piel blanca, con el pelo blanco, delgadito. Tenía una expresión muy extraña. Steve Rubell, uno de los dueños de Studio 54, era mi vecino, y gracias a él yo tenía acceso para disfrutar de las fiestas de esa discoteca, una de las más célebres y exclusivas de Nueva York. Warhol era asiduo de ese local, lo mismo que el venezolano Víctor Hugo Rodríguez, uno de sus amantes. Warhol le dedicó una serie de grabados al pene de Víctor Hugo que causó un gran revuelo. Víctor Hugo era muy deseado porque se había divulgado el rumor de que estaba muy bien dotado. Halston y Andy se lo compartían.

Otros dos venezolanos a los que era fácil encontrarse en Studio 54 eran Perucho Vals y Carolina Herrera. Perucho era florista, diseñador de vitrinas de lujo en Madison Avenue, y Carolina una *socialite* que estaba por iniciarse en el mundo de la moda con un éxito predecible. Eventualmente yo le llevaría muestras de telas de Caracas a Nueva York. Su padre era el coronel Guillermo Pacanins, que fue gobernador de Caracas con Pérez Jiménez. Carolina se había casado, en segundas nupcias, con Reinaldo Herrera, "Reinaldito", heredero de una distinguida familia de Caracas, cuyo apellido absorbió. La suegra de Carolina, Mimí Guevara de Herrera Uslar, fue siempre una de las mujeres más cultas y elegantes del mundo. Cuando el presidente Herrera Campins fue de visita oficial a Washington, Mimí asistió a la cena y al baile de gala que Reagan le ofreció en la Casa Blanca. Era amiga íntima de la primera dama de los Estados Unidos, Nancy. Yo también fui y bailé con ella. Esa misma noche estaba allí Alejandro Orfila, el secretario general de la Organización de Estados Americanos, cuya esposa, Helga, era famosa por sus escotes, que habían provocado una fotografía en la que Jimmy Carter no le veía la cara sino las tetas. El ministro de Minas de Venezuela, Humberto Calderón Berti, sabiendo que yo llevaba un smoking alquilado, hizo una apuesta conmigo: "Si bailas con el mujerón de Orfila, te regalo uno de verdad". No me costó mucho convencer a Helga y bailé con ella, pero todavía estoy esperando el smoking.

Ahora que lo pienso, Hollywood estuvo presente en mi vida desde que era veinteañero. En 1968 recibí una invitación de Bernard Flatow, director de relaciones públicas de 20th Century Fox, para asistir al estreno de la película *El detective*, en la que Frank Sinatra interpretaba el rol principal. Fui a Ciudad de México a entrevistar a Sinatra y a Gordon Douglas, el director del filme, para CVTV. Sinatra era una vedette. Me reencontré con él en los estudios de la Metro Golden Mayer, tiempo después, mientras grababa la pista musical de una película con el director Leslie Bricusse, uno de los mejores amigos de Natalie. Leslie me regaló una batuta de director que todavía conservo.

Como jefe de la oficina de turismo en Nueva York, ¿alguna vez trajiste a Venezuela, de vacaciones, a algún personaje de Hollywood, en secreto, sin que nadie se enterara? Siempre se ha dicho que Los Roques es un destino frecuente para expresidentes y estrellas del cine y la televisión internacionales.
En muchas oportunidades coordiné con Viasa y Pan Am viajes de fotógrafos y modelos de revistas muy importantes, desde *Playboy* hasta *National Geographic*, para que hicieran reportajes en distintos paisajes venezolanos. Por ello tuvimos una serie de mujeres desnudas en la Laguna Negra, en Mérida, y un editorial de *Cosmopolitan* en el Salto Ángel, en Canaima. Robert Capra Jr., director de cine al igual que su famoso padre, quiso utilizar Los Roques para la película *El abismo*, de Peter Yates. Nos reunimos en Caracas con el director de Corpoturismo, Guillermo Villegas Blanco, quien era a su vez presidente de Bolívar Films. Se elaboraron los presupuestos y se avanzó en la búsqueda de locaciones en el archipiélago, pero los precios de la mano de obra venezolana eran exagerados, dada la tasa de cambio en dólares de la época. Finalmente la película se filmó en las Islas Vírgenes.

Otro sueño venezolano mío truncado tiene que ver con Disney World. A mediados de los años setenta, cuando Miguel Ángel Burelli Rivas era embajador en Washington, la gente de Walt Disney Company lo contactó para proponerle que, en el nuevo parque de atracciones Epcot Center, se construyese un pabellón dedicado a Venezuela, tal como se construirían de China, Alemania, Italia, Francia, etcétera. Burelli me llamó a Nueva York para que viajáramos a Orlando para asistir a reuniones donde se analizaría la viabilidad de la propuesta. Ella incluía, no solamente proyectar el pabellón, sino también financiar un entrenamiento de estudiantes venezolanos de turismo, cocina y artesanía en los Estados Unidos, prácticamente una escuela para preparar a empleados de primer nivel para el porvenir. El lema era: "Epcot será la universidad del futuro". Frank Briceño Fortique, que presidía Corpoturismo, me encargó de coordinar todos los encuentros necesarios para lograr que cumpliéramos la meta de que Venezuela estuviera representada en el parque. Además de México, éramos el único país latinoamericano seleccionado. Hice más de una docena de viajes al centro de planificación de Disneylandia, en California, y por lo menos 20 visitas a Orlando. Desde Caracas iban y venían funcionarios de Corpoturismo. De hecho, logramos acuerdos con el sector privado para que hubiese representación comercial de calidad en el pabellón. Todo marchaba bien hasta que Carlos Andrés salió del gobierno y llegó Herrera Campins. Sus funcionarios de turismo manifestaron su desinterés en que Venezuela estuviese representada en esa vitrina mundial. Los planos de nuestro proyecto fueron adaptados al pabellón de Noruega. Lo que iba a ser una aventura por el Salto Ángel terminó siendo un recorrido con trolls por una cascada de la Europa nórdica. ¡Y pensar que Epcot recibe, según estadísticas recientes, más de 12 millones de visitas al año! Otro caso de falta de visión de un gobierno venezolano, para variar.

En lo que sí pude ayudar, sin frustraciones, por esos mismos años, fue en la inauguración del Poliedro de Caracas, cuyo primer director fue Aldemaro Romero. El acto consistiría en la celebración de una pelea de boxeo entre los dos pesos pesados George Foreman y Ken Norton. Me llamaron a Nueva York para pedirme que gestionara las visas y los permisos para ellos, los miembros de sus equipos y la prensa especializada. En el consulado de Venezuela organizamos una rueda de prensa en la que Foreman y Norton promocionaron el combate en el que iban a enfrentarse en el novedoso Poliedro de la entonces rica Caracas. Venezuela era tan famosa que era el único país de América Latina, además de Brasil, en el cual aterrizaba el supersónico avión Concorde, de Air France. Iba uno de Maiquetía a París en 4 horas y 10 minutos. Los pasajes para esa ruta siempre se agotaban. Yo me monté en el Concorde, en un viaje de París a Kuwait City. Era un avión velocísimo, pero incómodo. Muy angosto, con cuatro hileras de butacas. Costaba caminar por el pasillo central.

¿Has viajado en el avión presidencial de Venezuela?

En el de antes, un 737 al que Chávez bautizó como "El camastrón". En ese avión me tocó viajar con el presidente Jaime Lusinchi con ocasión de su visita oficial a Naciones Unidas, en los ochenta. Lo acompañé en su regreso de Nueva York a Caracas. Antes de que Carlos Andrés Pérez comprara ese 737, la presidencia de la República tenía un avión muy pequeño, que no servía para largas distancias. Cuando había que hacer alguna gira por lugares remotos, se usaba un avión comercial de Viasa, un DC-10. Aquí hay un cuento muy bueno. En noviembre de 1976, fui con Pérez al XIII Congreso de la Internacional Socialista, en Ginebra. Allá nos encontramos con Felipe González, líder del Partido Socialista Obrero Español (PSOE) y quien venía de ser uno de los políticos más aguerridos contra la dictadura de Francisco Franco en la clandestinidad. Carlos Andrés y, en general, los adecos, eran muy amigos de Felipe y habían ayudado económicamente al PSOE. Cuando terminó la cumbre, CAP emprendió un viaje oficial a España e invitó a González a que fuera con él, sin consultar previamente al gobierno español. Cuando aterrizamos en el aeropuerto de Barajas, en Madrid, Pérez descendió del avión para saludar al rey Juan Carlos y le dijo: "Le traigo un contrabando". El rey preguntó a qué se refería. CAP le respondió: "Conmigo viene Isidoro". Isidoro era el seudónimo que Felipe había usado durante la dictadura. Salió por la puerta trasera del avión y se presentó ante su majestad. Comenzaba una nueva época en España, la llamada Transición, el puente hacia la democracia. Un año antes exactamente de este episodio, yo había asistido a las exequias de Franco, invitado por mis amigos de la Agencia EFE. La muerte del dictador coincidió con una reunión de la Organización Mundial de Turismo que se celebraba en Madrid. En el velorio conversé con Juan Carlos, que todavía era príncipe. Asumiría el trono una semana más tarde. Cuando le dije que era venezolano, me hizo este comentario, que no se me olvida: "En España vamos a necesitar mucho el apoyo de su país". Estaba presente el cardenal Luigi Dadaglio, que había sido Nuncio Apostólico en Caracas y a la fecha ocupaba el mismo cargo en Madrid. Dadaglio afrontaba problemas con el ala más rancia de la iglesia española. Lo consideraban un liberal. Unos días después, desayunando con él en la Nunciatura, me dijo que le gustaría visitar Venezuela, "para coger un poco de aire en medio de esta diatriba". Ni corto ni perezoso, llamé al canciller Consalvi y él de inmediato le extendió una invitación oficial para venir a Caracas. Y vino.

Otro avión presidencial que conocí, y que valió la pena disfrutar, fue el de los Estados Unidos, el famoso Air Force One. Carlos Andrés estaba de visita oficial en Washington y Carter le prestó "el camastrón" imperial para que fuera a Chicago a ver una muy comentada exposición de los tesoros de Tutankamón, en el Field Museum. Yo fui a ese viaje como corresponsal de Venezolana de Televisión. Llegamos al museo a las 6 de la mañana y ya había colas de varias cuadras para entrar. Por ir con el presidente, nos dieron acceso al museo antes de la hora de apertura al público. Carter le había preguntado a Pérez qué ciudad de los Estados Unidos quería conocer. El fotógrafo Mario Abate y yo propusimos que fuéramos a Chicago, precisamente para ver la exposición egipcia. Carlos Andrés estuvo de acuerdo y Carter nos hizo el pequeño favor de mandarnos en el Air Force One. Otra suerte: así como conocí ese avión, me monté en el helicóptero Número Uno de la presidencia de los EEUU. Herrera Campins estaba alojado en la bellísima Blair House, la residencia de huéspedes de la Casa Blanca. Visitaba Washington para reunirse con Reagan. El helicóptero lo trasladaría a la base aérea Andrews, donde tomaría un avión para regresar a Venezuela. Aproveché y me metí para verlo por dentro. Allí vi envases llenos con los famosos caramelos Jelly Beans, que eran la adicción de Reagan. Me atapucé los bolsillos con ellos para luego regalárselos, en frasquitos, a los amigos. Presunciones de uno debidas al oficio. Hay oportunidades que se presentan una sola vez en la vida.

UNA MALETA CON PEDIGRÍ

Toque de gracia. *El magnate venezolano Gustavo Cisneros acababa de adquirir la cadena de supermercados Pueblo Xtra International y quería celebrarlo. Bocaranda estaba de vacaciones en Canadá, con la familia. Cisneros, que era su jefe en Venevisión, lo llamó para pedirle un favor. Era que debía viajar a Nueva York para encontrarse con Celia Cruz y Pedro Knight, su esposo, y desde allí partir con ellos hacia La Romana, en República Dominicana, donde Celia animaría, junto con Willie Colón, la fiesta del empresario. Nelson dejó a sus hijos al cuidado de su suegra, en la Gran Manzana, y se fue con Bolivia a hacer el mandado. Pasó dos días completos, muchas veces ellos solos, con la pareja Cruz-Knight, y atestiguó de cerca lo que muchos siempre supusimos: que Celia viajaba para todos lados con dos maletas llenas de pelucas. Toque de gracia. Luciano Pavarotti viajaba a Caracas. Rodolfo Rodríguez García, vicepresidente de Venevisión, le notificó a Bocaranda que era el periodista asignado para andar para arriba y para abajo con el gran tenor: se ocuparía de él, de departir con él, de producir y conducir los programas especiales que sobre él trasmitiría el canal. Desde que el monstruo italiano aterrizó en Maiquetía hasta que se fue del país, Nelson fue su rémora. Lo conoció en la intimidad. Entre otras cosas supo que el cantante tenía unos amigos en Venezuela, y que eventualmente esos amigos le enviaban a su casa de Módena, en Italia, queso de búfala producido en el estado llanero de Apure, que eran un elixir para don Luciano, comelón sin par. Pavarotti decía que se 'jartaba' de manjares para conjurar el nerviosismo, pero la verdad es que comía por mero gusto. Exigió que el día del concierto hubiese, en su camerino del Poliedro de Caracas: agua Perrier, vino de óptima calidad, almendras y frutas, amén de los gustosos quesitos que lo hacían babear. Como se alojara en la suite presidencial del Hotel Hilton, que tenía cocina, en sus tiempos libres se relajaba haciendo pasta para él y para la gente que lo fuese a visitar. Eran unas comidas pantagruélicas que, si bien gustaban a la mayoría, angustiaban a los patrocinadores venezolanos del tenor, porque el baño de los camerinos del teatro estaba en mal estado. La poceta era prácticamente de adorno. No estaba siquiera fijada al piso. En caso de algún apuro, la noche del recital podía ocurrir una tragedia escatológica de terribles consecuencias. Nelson llamó a Rodolfo Rodríguez y lo previno: "Si a este gordo le da un cólico estomacal, nos jodimos. El titular de mañana en todo el mundo será: 'Luciano Pavarotti muere cagando en Caracas". No fue así, por fortuna. En el intermedio de la gala el hombre apenas requirió el sanitario para echar una meada.*

Es cierto: hay situaciones que son como toques de gracia, o de suerte, circunstancias en las que el oficio lo pone a uno, según su capricho. En 2004 me invitaron a un foro organizado por la Fundación Nuevo Periodismo Iberoamericano, en Ciudad de México. Gabriel García Márquez, el creador y director de esa fundación, estaba allí. Durante una comida en la que conversé con él, me dijo: "Tú sabes que el impertinente de Chávez se presentó en mi casa de Cartagena. Fue a tocar la puerta, como un desaforado, porque quería hablar conmigo". Mercedes Barcha, su mujer, lo interrumpió: "No le abrimos, pero ¡cómo insistió! Sus hombres le daban golpes al portón". Fue tal la terquedad del presidente que García Márquez llamó a Fidel Castro para que este, a su vez, llamara a Chávez y se lo quitara de encima. El comandante se comunicó con él y le dijo que el Gabo no estaba en Cartagena. Solo entonces se quedó tranquilo.

¿Por qué García Márquez no quiso recibirlo?

Palabras textuales: "No tenía nada que hablar con él". El Gabo había conocido a Chávez en La Habana, en enero de 1999, unas semanas después de que ganó las elecciones. No había asumido todavía el poder pero ya ejercía. Fue a reunirse en Cuba con Fidel Castro y con el presidente colombiano Andrés Pastrana, y allí estaba García Márquez. Al novelista le bastaron un par de encuentros para descubrir a Chávez. No por nada tenía el ojo amaestrado para el Realismo Mágico. Tras un par de días en los que compartió con él en la isla, lo acompañó en su regreso a Caracas. Volaron juntos en un avión de PDVSA. Con el material que recopiló escribió una crónica muy buena que tituló "El enigma de los dos Chávez". Al Gabo le había surgido la duda de si el hombre que había conocido era un político serio o, por el contrario, un embaucador. El párrafo final de esa crónica dice así: "El avión aterrizó en Caracas a las tres de la mañana. Vi por la ventanilla la ciénaga de luces de aquella ciudad inolvidable donde viví tres años cruciales de Venezuela que lo fueron también para mi vida. El presidente se despidió con su abrazo caribe y una invitación implícita: 'Nos vemos aquí el 2 de febrero'. Mientras se alejaba entre sus escoltas de militares condecorados y amigos de la primera hora, me estremeció la inspiración de que había viajado y conversado a gusto con dos hombres opuestos. Uno a quien la suerte empedernida le ofrecía la oportunidad de salvar a su país. Y el otro, un ilusionista, que podía pasar a la historia como un déspota más". Cuando, en México, el Gabo me dijo que no había querido recibir al presidente, supuse que los años le habían permitido despejar la incógnita: ya no había dos Chávez sino solo uno.

Yo también conocí al personaje después de las elecciones, antes de su investidura. Cisneros organizó una cena para conversar con él. Tobías Carrero, el dueño de Multinacional de Seguros, amigo de infancia de Chávez, fue el intermediario. A ese encuentro asistieron, además de Luis Miquilena, Oscar Yanes y yo, cinco vicepresidentes de Venevisión y Alberto Garrido, asesor de Steven Bandell, el segundo al mando de la Organización Cisneros. Chávez fue acompañado por su esposa, Marisabel Rodríguez, que le dijo a Gustavo que ella nunca se imaginó que estaría en una reunión con él, "con usted que es un magnate de las comunicaciones globales". A nosotros nos impactaba conocer a un Chávez más íntimo y a ella, a Cisneros. Le preguntamos al presidente si había decidido quiénes serían sus ministros. Dijo que estaba trabajando en eso. Gustavo insistió en saber más sobre el área de finanzas y de relaciones exteriores. Chávez comentó que para el cargo de canciller uno de sus candidatos más fuertes era Roy Chaderton, a quien había conocido en Londres como embajador de Venezuela. Según él, había quedado asombrado "con ese políglota que habla inglés, francés e italiano, además de español". Y agregó: "¡Porque para ser canciller es bueno saber idiomas!". Conversamos algunas cosas más. Era una reunión de reconocimiento mutuo. Queríamos ver a Chávez, sencillamente. Luego de despedirlo, Gustavo nos convocó para analizar el encuentro y para que le diéramos nuestra opinión sobre la persona que iba a conducir al país durante los próximos "cinco" años. Todos pensábamos algo distinto. Eso hizo que, a los días, Cisneros organizara un encuentro en su casa de La Romana para estudiar con más calma al nuevo personaje de la historia venezolana.

¿Qué impresión tuviste de Chávez esa noche?
No sentí empatía por él. Me pareció demasiado eufórico, sobre todo cuando se refirió a un viaje que había hecho a Europa en esos días. Por supuesto, en ningún momento pensé que estaba delante del hombre que destruiría a Venezuela. Más bien me pareció un tipo ingenuo. Me equivoqué. En esa cena yo conocí al ilusionista que había visto García Márquez. Chávez engañó a mucha gente. La mejor prueba es la cantidad de arrepentidos que han hecho público su descontento, comenzando por los empresarios que lo apoyaron en su primera hora y por los militares que lo devolvieron a la presidencia en 2002. Para muestra, un botón. Ahí está el general Raúl Isaías Baduel, quien por cierto es mencionado por el Gabo en su crónica sobre "los dos Chávez". Fue con ellos en el avión. Allí el presidente le reveló a García Márquez una cosa que no se sabía lo suficiente todavía,

y es que Baduel formó parte del grupo que juró con él, ante el Samán de Güere, en el 82, luchar hasta la muerte por una supuesta liberación de Venezuela. Hasta entonces se creía que sus cófrades habían sido únicamente Felipe Antonio Acosta Carlez, que murió de un balazo en el Caracazo, y Jesús Urdaneta Hernández. No se conocía la participación de Baduel porque ellos la habían ocultado. Baduel supo evadirse de responsabilidades con respecto a la intentona golpista de 1992, quedó activo en el Ejército y Chávez y sus amigos decidieron guardar el secreto para protegerlo. Una vez que ganó la presidencia, se quedó sin razones para seguir escondiendo el dato y se lo lanzó a García Márquez, que lo hizo público. Durante su gobierno, Baduel fue comandante general del Ejército y llegó a ministro de la Defensa, hasta que un buen día el idilio se acabó y el hombre terminó en la cárcel.

En 2007, Baduel criticó la pretensión de Chávez de reformar la Constitución para eternizarse en el poder. ¿Esa fue la razón de la ruptura?
Esa no es toda la verdad. Chávez nunca perdonó que Baduel dirigiera la llamada Operación Restitución de la Dignidad Nacional, gracias a la cual, paradójicamente, el comandante volvió al gobierno luego de los sucesos de abril de 2002.

Pero eso es absurdo. ¿Cómo que Chávez no le "perdonó" a Baduel que lo salvara?
No es absurdo. Esa operación convirtió a Baduel en un hombre con un poder mucho mayor que el que Chávez era capaz

de tolerar. Quiso impedir que le hiciera sombra. Una vez que se le volteó públicamente, la cosa llegó a un punto de no retorno. Lo acusaron de corrupción y lo apresaron. Luego Chávez reculó y trató de enmendar la enemistad, pero Baduel se negó aun a sabiendas de que eso implicaba continuar en la cárcel. Algo similar sucedió con Luis Miquilena, que fue el gran mentor de Chávez antes de que Fidel Castro apareciera en escena, con la diferencia de que a Miquilena nunca lo mandaron a un calabozo. Estando ya con cáncer, antes de irse a La Habana por última vez, Chávez intentó hablar con él. Quería arreglar cuentas y quedar en paz antes de morir. Miquilena le cerró la puerta.

Tendrán que transcurrir unos cuantos años antes de que podamos conocer con detalle mil intríngulis del chavismo que, dada su cercanía en el tiempo, se mantienen en secreto. Hay heridas muy abiertas todavía, y no solo en la política interna sino también en las relaciones diplomáticas de Venezuela con Cuba, con Argentina, con Bolivia, con China, con Irán, con Irak, con Libia, con los Estados Unidos, con Colombia, ¡por favor, con Colombia! ¿Cuándo, durante la democracia, vimos que nuestro país se enemistara con Colombia como lo enemistó Chávez en tantas ocasiones y ahora Nicolás Maduro? La mayor crisis fue la de la corbeta Caldas, en el 87, y se resolvió en dos o tres semanas. Ahí el presidente Lusinchi, sin ser caudillo ni militar, actuó con un par de bolas y Colombia lo respetó. De resto todo fue, en términos generales, cordialidad entre dos países que alguna vez fueron una sola nación. Inviable, quizá, pero una sola nación.

Los periodistas que cubrimos la fuente presidencial éramos los primeros testigos de que Venezuela y Colombia eran amigas, aunque a veces surgieran diferencias. Recuerdo que en los noventa hubo un impasse entre los gobiernos de Rafael Caldera y Ernesto Samper y unos colegas y yo nos fuimos a Bogotá para reunirnos con el presidente y colaborar con la solución del conflicto. El Gabo nos acompañó. ¡Y cómo esa, cuántas historias entrañables! En 1964, cuando yo todavía era un reporterito que aprendía a foguearse en el oficio, fui parte de la comitiva que acompañó a Leoni a una reunión con Guillermo León Valencia, en la frontera. Los presidentes se reunieron en el puente sobre el río Arauca y a los reporteros nos montaron en una chalana que ancló delante de donde conversaban. Un colega se dio un golpe en la nariz, comenzó a sangrar, asomó la cabeza fuera de la barcaza y se sacudió. Bastaron unas pocas gotas de sangre para que se alborotaran los caribes. Leoni se dio cuenta y nos gritó, con su simpatía de campechano, que tuviéramos cuidado. Ese fue mi primer contacto con un mandatario colombiano. Luego, hasta la fecha, he tenido relación con todos menos con Julio César Turbay, a quien no tuve la ocasión de conocer.

¿Tienes relación con el presidente Juan Manuel Santos?
Nos conocemos. Tengo un contacto de peso dentro de su gobierno con quien intercambio información. A Santos lo he entrevistado un par de veces, una de ellas con mi compañera de radio Mariela Celis. Fuimos a Bogotá invitados por el diseñador Mario Hernández, amigo del presidente. Nos reuni-

mos con él en una oficina del diario *El Tiempo*. Es un hombre agradable ahora que es primer mandatario. Antes era muy antipático y así lo describían sus paisanos. Le gusta el vallenato. Recientemente ha tenido que enfrentarse con Maduro, dada la vergonzosa actuación del gobierno chavista en la frontera con Colombia. Uno no sabe dónde meter la cara. Esta gente no tiene límites, además de que carece de la más mínima preparación para ejercer funciones de Estado. En los últimos conflictos inventados por Venezuela con Colombia y Guyana, la distracción fue de dos meses, hasta que se desinflaron... Qué diferencia con respecto al pasado, cuando Venezuela contaba con un servicio exterior de altísima calidad. Funcionarios verdaderamente de primera.

Me acuerdo cuando, en el 66, se celebró una cumbre en Bogotá entre los presidentes Leoni, Eduardo Frei padre, de Chile, y Carlos Lleras Restrepo, el colombiano. Daba gusto observar el trato diplomático que se daban entre ellos. Los entrevisté a los tres para Venevisión. En ese viaje acompañé a Consalvi y a su esposa de entonces, Mimina Carrero, a los talleres de dos artistas que empezaban a destacar: Enrique Grau y Fernando Botero. Mi mamá, pintora y esmaltadora, nos inculcó a mí y a mis hermanos, desde pequeños, el gusto por el arte. Los domingos salíamos en familia a visitar galerías y museos. De hecho, recibí clases de pintura con los maestros Alejandro Otero y Mercedes Pardo, en el Museo de Bellas Artes de Caracas. Fui amigo personal de Jesús Soto. Lo ayudé a montar su gran exposición en el Museo Guggenheim. A través de él conocí a la marchand Denise René, dueña de la galería parisina donde en 1955 se presentó Le Mouvement, la primera exhibición dedicada al cinetismo. Denise tenía una sucursal de su negocio en Nueva York y más de una vez me dio buenos precios para adquirir obras de artistas a los cuales representaba.

Otro presidente colombiano que conocí fue Misael Pastrana Borrero, en 1970. El embajador en Venezuela, Héctor Charry Samper, organizó un encuentro entre ambos países porque había ruido en las relaciones a propósito de problemas en la frontera. Viajamos, un grupo de periodistas, a Bogotá, para ayudar a limar asperezas. Llevamos unos regalos para Pastrana, entre ellos un afiche de una campaña de Corpoturismo cuyo lema era "Haga Venezuela suya". Echando broma, le dije al presidente: "Pero no es para que se lo tome en serio...", y aquel hombre se alarmó, se apenó muchísimo, aunque más pena me dio a mí, porque fue un buen chiste en un mal momento. Después me conseguí con don Misael en el Mesón de Cándido, un conocido restaurante de la ciudad española de Segovia. Me invitó a comer a su mesa y acepté encantado. A su hijo Andrés Pastrana lo conocí en Caracas cuando ya era expresidente. Lo había entrevistado varias veces por la radio, pero no nos habíamos visto en persona. Coincidimos en un desayuno, a comienzos de 2015. Pastrana vino a Venezuela para apoyar a los familiares de los presos políticos de Maduro, junto con los también expresidentes Felipe Calderón, de México, y Sebastián Piñera, de Chile. Como era de esperar, el gobierno chavista emprendió una campaña feroz contra ellos y Pastrana nos preguntó, a mí y a otros amigos, qué podía responderle al "presidente" de Venezuela. Le dije: "¡No se le ocurra llamarlo paisano porque la guerra será peor!". Se le iluminaron los ojos y se sonrió. Ese mismo día en la tarde, en una rueda de prensa, Pastrana dijo: "Maduro, entre paisanos no nos tratamos así". En ese desayuno le comenté que había conocido a su padre y le conté el incidente con el afiche de "Haga Venezuela suya". Se echó a reír.

Casualidades: al Mesón de Cándido fui también una vez a comer con Leoni. Nos topamos en una calle de Madrid y me invitó a que fuera a Segovia con él, su esposa, doña Menca, y sus cuñados Enrique y Mercedes Benedetti. Parece un dato sin importancia, pero no lo es. Revela, como tantos otros, que durante la democracia los presidentes y expresidentes se mantenían en contacto con los periodistas, que había una relación de afecto entre ellos y nosotros, algo que los chavistas no entienden ni conciben. Siempre me ha gustado escuchar hablar a los reporteros con trayectoria sobre sus vínculos con personajes que alguna vez tuvieron poder. Es fascinante.

¿Te has dado cuenta de que eso mismo es lo que tú eres y lo que tú haces?

¿Ser un reportero con trayectoria que habla sobre los personajes que conoció y que conoce? Es cierto. Tal vez el fenómeno me interesa precisamente porque me caracteriza también a mí. Cuando se trata de un ser humano excepcional no hay que haber estado mucho tiempo a su lado para sentir que uno tuvo una historia con él. Por ejemplo, me bastó ver unos pocos minutos rezando a Juan Pablo II, en Caracas, para asombrarme ante su presencia, por la fuerza que transmitía. Para orar se arrodillaba, cerraba los ojos y se presionaba el entrecejo con los pulgares. Verlo sumido en ese gesto causaba un sobrecogimiento muy raro. Daba la impresión de estar en trance, hablando de verdad con Dios. Una experiencia diametralmente opuesta, aunque igualmente ejemplar, fue mi encuentro con Idi Amin, el diabólico dictador de Uganda, en 1975. Idi Amin fue a Nueva York para hablar ante la Asamblea General de la ONU y luego ofrecía una recepción en el Hotel Hilton. El canciller de Venezuela, el doctor Escovar Salom, estaba invitado, pero no se encontraba en la ciudad. Con la complicidad del embajador Consalvi, decidí ir al coctel y hacerme pasar por él. Idi Amin saludaba, uno a uno, a los miembros de los países representados en Naciones Unidas. Cuando tocó mi turno, me anunciaron: "El excelentísimo ministro de Relaciones Exteriores de la República de Venezuela", y caminé hasta el dictador para darle la mano. ¡Qué pánico! Era un hombre asqueroso, un monstruo. Su aspecto confirmaba el horror al que tenía sometida a Uganda. Para variar, cuando estaba entrando al Hilton para ver al tipo, unos terroristas de la Liga de Defensa Judía, que lo odiaban, lanzaron unas bombas de humo. Corrí a resguardarme detrás de unos materos, junto con Consalvi, su esposa y el embajador de México en la ONU en ese momento, Alfonso García Robles. ¡Los cuatro acostados en el piso! La policía actuó rápidamente y la situación fue solventada, pero los nervios me hicieron pensar que pude haber salido herido, o muerto, por culpa de un dictador de mierda, el sanguinario Idi Amin.

No solo los corresponsales de guerra están expuestos al peligro. Todo periodista debe tener siempre a mano esta lección: donde sea que haya un personaje que despierte lo mismo un gran amor que un gran odio se corre un riesgo. Me sucedió con el general Omar Torrijos, en Ciudad de Panamá, en 1969. Estando él en México, los oficiales José María Pinilla y Bolívar Urrutia intentaron darle un golpe de Estado para sacarlo del poder. Torrijos regresó rápidamente a su país y sofocó la rebelión. Yo estaba de jefe de Prensa en CVTV y fui a entrevistarlo. Nos encontramos en el Cuartel de la Guardia Nacional, en la capital. Durante mi época en Syracuse había conocido al periodista panameño Pepe Cardona Mas, que era director de una estación de televisión. Pepe me consiguió la reunión con el general. Torrijos llegó a verme con los ojos que le saltaban de la cara. Tenía una expresión que dejaba ver su cansancio. No había dormido en dos días. Se sentó a un escritorio sobre el que había granadas, ametralladoras y revólveres. La sola escena intimidaba. Conversábamos cuando de pronto sonó una explosión que de vaina me dejó sordo. Me lancé debajo de la mesa, chorreado. Pensé que eran los aliados de Pinilla y Urrutia que habían ido a vengarse. Torrijos se rio y me dijo: "¡No sea cobarde, periodista! ¡Levántese! ¡Fue solo un trueno!".

Nos volvimos a ver en 1977, con ocasión de una reunión donde se discutieron asuntos relativos la firma de los Tratados del Canal de Panamá entre su gobierno y el gobierno de los Estados Unidos, a la cabeza del cual estaba Jimmy Carter. El presidente Carlos Andrés Pérez fungía como mediador en las negociaciones. Torrijos me vio y lo primero que me dijo fue: "¿Desde cuándo no se mete usted debajo de un escritorio?", y les echó el cuento a sus colegas. Carter tenía una traductora oficial para comunicarse con él y con Pérez, pero en vísperas de la reunión a la mujer le dio un sofoco debido a un dolor de barriga y quedó indispuesta. Carlos Andrés me pidió que la reemplazara. Tuve la suerte de participar en la conversación en la que afinaron los últimos detalles de la firma de los tratados, que se dio en Washington. Luego vino a hablar conmigo el director de la Agencia Nacional de Seguridad de EEUU, Zbigniew Brzezinski, para advertirme que todo lo que había escuchado era secreto de Estado. Cuando uno hace traducción simultánea es poco lo que retiene. De esos minutos solo me acuerdo de que los presidentes mencionaron a Anastasio Somoza, el dictador de Nicaragua. Después, en la Casa Blanca, Carter me pidió que lo ayudara a ensayar unas palabras que quería decir en español al momento de suscribir el acuerdo con Panamá. Durante un buen rato hice el papel de profesor de castellano del presidente de los Estados Unidos. A Torrijos lo entrevisté a lo largo de casi tres horas para un programa especial que transmitió Venezolana de Televisión. Hablamos de lo humano y lo divino, sin aprehensiones.

Su muerte causó un gran asombro en toda América. Torrijos era el líder máximo de la Revolución panameña y tenía más de una década en el poder. En julio del 81, un avión de la Fuerza Aérea en el que viajaba se fue a pique y todo se acabó. Yo estaba en Cancún, en una reunión de la Iniciativa de la Cuenca del Caribe y de inmediato me puse en marcha. Fui a buscar al secretario de Estado Alexander Haig, que estaba allí, para sacarle algún comentario. Él no se había enterado, pero a pesar de la impresión que le causó la noticia me dio una declaración muy buena. Fue considerada como el reconocimiento oficial de la tragedia panameña por parte de los Estados Unidos. La entrevista fue transmitida en Venezuela por VTV y en los EEUU por la CBS.

Ese mismo año 81 cubrí otra muerte también sorpresiva: la del presidente egipcio Anwar al-Sadat, acribillado a tiros durante la celebración de un desfile militar. De un día para otro me fui a El Cairo, junto con un grupo de corresponsales igualmente acreditados, para cubrir las exequias. Regresé a Nueva York y en los estudios de la televisora de Naciones Unidas monté un programa especial para VTV. A los días de la transmisión, se me acercó Hassan Abdel Rahman, delegado de la Organización Nacional Palestina ante la ONU, quien acababa de llegar de un viaje a La Habana. Yo lo conocía porque Hassan era medio venezolano. Había vivido en Caracas y en Puerto La Cruz y era una persona muy cercana a Guillermo Álvarez Bajares, periodista y exministro copeyano. Me dijo: "Nelson, ¡qué barbaridad! Fidel y yo vimos juntos tu programa. Le gustó mucho que dieras información sobre el diplomático cubano que fue herido en el atentado contra Al-Sadat". A través de gestiones clandestinas, Castro había logrado obtener una antena parabólica que le permitía interceptar señales internacionales de televisión. Cuando se lo conté al resto de mis colegas, pensaron que les estaba echando vaina. En un programa posterior que hice para VTV, dije: "Comandante Castro, sé que nos está viendo. Ni en Naciones Unidas ni en Venezuela se creen que este programa llegue a Cuba. Envíenos unos habanos para los periodistas". A las dos semanas, el embajador cubano, Raúl Roa Kouri, nos hizo llegar una caja de tabacos Cohiba a la televisora de Naciones Unidas... Así comenzaron las cosas con Fidel, a través de un contacto virtual, ¡un contacto del tercer tipo! Desde entonces él supo quién era yo, algo que me ha servido mucho en mi carrera, porque no se puede negar la inmensa influencia que Castro ha ejercido sobre la región y, en especial, con el chavismo, sobre Venezuela.

Algunas personas que conocieron a Chávez detrás de cámaras, aun opositores suyos, han dicho que en privado no era un hombre de caer tan mal, que incluso era agradable, o por lo menos que sabía hacerse el agradable. ¿Cómo es Fidel Castro?

Fidel tiene un dominio de la escena muy teatral. Es un actor, con todas las de la ley. Como periodista yo siento una inmensa curiosidad por esos hombres que, para bien o para mal, forman parte de la historia que a uno le ha tocado vivir, o sobrevivir. Me parece que si no hay ese interés, el reporterismo pierde su magia, se convierte en un trabajo aburrido y mecánico, meramente operativo. Unos meses después de que entré a trabajar en la oficina de turismo en Nueva York, Diego Arria me invitó a que fuera con él a un viaje por algunos países de América Latina. Uno de esos países era Chile, donde nos reuniríamos con Salvador Allende. Desde un punto de vista ideológico, Allende no me llamaba la atención, pero ¿cómo no sentir ganas de conocerlo, de ver cómo se comportaba, de escuchar lo que tenía que decir? Estuvimos con él en el palacio presidencial de La Moneda, en Santiago, donde un año más tarde se quitaría la vida, de un tiro en la cabeza. Allende era amable, simpático y muy jodedor. Ordenó: "Vamos a ponerles a estos invitados de Venezuela la canción 'El cóndor pasa', porque hoy en Chile el cóndor de la libertad ha vuelto a volar". Y sonó la cancioncita, que a nosotros nos hizo gracia. Nos sentíamos un poco ajenos a aquella lucha que estaba emprendiendo Allende. Pocos meses después, en diciembre del 72, visitó Naciones Unidas y yo ayudé a su jefe de prensa a que entrara en contacto con corresponsales de medios de comunicación cuya fuente fija era la ONU. Augusto Olivares era su nombre, pero todo el mundo se refería a él como "el Perro Olivares", no sé por qué. Era un periodista célebre en Chile y absolutamente fiel a su presidente. Su máximo acto de lealtad fue suicidarse luego de que Allende lo hiciera, el 11 de septiembre de 1973, el día del golpe de Estado que acabó con aquellas ilusiones. Por cierto que Allende se quitó la vida con un arma que le regaló Fidel Castro. No es ficción: es historia.

De los mandatarios colombianos mencionaste a León Valencia, a Lleras Restrepo, a los dos Pastrana, a Turbay, a Santos, pero no has mencionado a uno de los que mayores vínculos hizo con Venezuela, como es Belisario Betancur. Junto con Alfonso López Michelsen, que ya falleció, Betancur es el expresidente de Colombia que más atención recibía aquí, al menos hasta que el chavismo convirtió a Álvaro Uribe en un personaje de una figuración excesiva en Venezuela.

Betancur y López Michelsen: dos caballeros. Eran hombres opuestos políticamente, pero grandes y buenos amigos. Belisario, conservador. Alfonso, liberal. En el 86 hice con ellos un programa de casi tres horas para VTV, desde la embajada de Colombia, a solicitud del presidente Lusinchi, que quería de ese modo fortalecer la amistad con el hermano país, aunque yo hubiera hecho esa entrevista sin necesidad de que nadie me la pidiera. Para mí era un honor que esos dos hombres aparecieran juntos, por televisión, y conversaran al aire, siendo yo el moderador. Previamente había entrevistado a Betancur en varias oportunidades, y luego lo volví a ver, en Colombia, en una reunión en la que también estaban el Gabo y Plinio Apuleyo Mendoza. Belisario ya se había casado con la venezolana Dalita Navarro, exesposa de Teodoro Petkoff. Alfonso López Caballero, el hijo mayor de López Michelsen, también formó una familia colombo venezolana. Se casó con la caraqueña Josefa Andreu. Nos hicimos amigos en Nueva York, cuando él estudiaba Economía en la Universidad de Columbia. Naco Martínez, que después fue presidente del Banco Industrial de Venezuela, y yo, compramos un apartamentico muy barato, en Park Avenue, con la intención de remodelarlo, revenderlo y ganarnos una plata. Alfonso hijo, que vivía en un departamento bellísimo, nos puso en contacto con la persona que se había encargado de diseñárselo, Juan Montoya. Naco y yo lo contratamos e hicimos el negocio. Hoy en día Montoya es una estrella internacional. Cobra unos honorarios estratosféricos. Cuando conocí al presidente López Michelsen, el hecho de que hubiera compartido tanto con su hijo contribuyó a que hiciéramos buenas migas. Don Alfonso era un intelectual, así como lo es Betancur. El día de la toma de posesión de Lusinchi, al salir de la ceremonia, Belisario me llamó aparte para pedirme que lo llevara a la Corte Suprema de Justicia: quería ver el gran vitral del maestro venezolano Alirio Rodríguez que está en la sede del tribunal. Ese único gesto indica quién es Belisario Betancur.

Oscar Yanes sostenía que detrás del detalle aparentemente insignificante están las raíces del gran hecho que conmueve la historia. ¿Compartes esa idea?

A pies juntillas, porque me consta. Dada esa relevancia de los detalles, es importante ser observador. Puedo dar un ejemplo que confirma que a Oscar no le faltaba razón. El 5 de julio de 1999, cuando el presidente Chávez presidió, por primera vez, un acto anual en conmemoración del Día de la Independencia, en el extinto Congreso, se ofreció un coctel, en la noche, en una casa de la urbanización La Lagunita, para celebrar la aparición del primer semanario chavista que hubo en Venezuela: *La otra opinión*. La casa era propiedad del peruano venezolano Julio Augusto López, un hombre que comenzaba a sonar en el mundo de las comunicaciones como un empresario ansioso y con agallas. De hecho, era el financista del novedoso semanario, fundado por el periodista y luego alcalde de Caracas Juan Barreto y por Eduardo Semtei, quien sería diputado, vicepresidente del Consejo Nacional Electoral y hoy crítico del chavismo. Me invitaron a la recepción y fui, por curiosidad. No dejaba de ser paradójico que el coctel se diera en una residencia ubicada en una zona de la "clase alta", por tradición enemiga de la izquierda política. Historietas patrias. La casa era bastante grande y amplia, y daba la impresión de estar a medio hacer. Carecía de eso que coloquialmente se llama "calor de hogar". Llegué acompañado de mi hijo, Nelson Eduardo, saludé, conversé un rato con gente conocida y cuando pude me escabullí y subimos al segundo piso. Entre otras cosas, me llamó la atención un salón de cuyas paredes colgaban retratos de hombres con uniformes militares que evidentemente no eran venezolanos. Bajé y busqué a López. Quería saber quiénes eran esos hombres. Se limitó a decirme que eran oficiales, viejos amigos de su padre. El asunto quedó allí, pero me quedé con el detalle en la cabeza. Sorpresa: cuando, en 2001, salió a la luz que Vladimiro Montesinos, el temible jefe de los servicios de inteligencia de Alberto Fujimori, había escapado del Perú y estaba escondido en Venezuela, protegido por el gobierno chavista, lo reconocí como uno de aquellos "oficiales peruanos, viejos amigos de mi padre". Até cabos y, aunque no tenía pruebas, consideré seriamente la posibilidad de que Julio Augusto López era uno de los contactos de Montesinos en el país.

¿Lo confirmaste?

No, pero mantengo la sospecha. Y ello gracias a un detalle "aparentemente insignificante", como decía Yanes: una pared llena de fotos en el segundo piso de una casa a medio hacer. Desde aquel día de 1999, López no dejó de ser noticia. Compró los periódicos venezolanos *El Diario de Caracas* y *The Daily Journal* y tuvo una estación de televisión, Canal de Noticias. Un fracaso. Posteriormente se dijo, y eso sí lo comprobamos y lo publicamos varios periodistas, tanto en Lima como en Caracas, que López era un gran aliado económico de Ollanta Humala desde antes de que llegara a la presidencia. La esposa de Humala, Nadine Heredia, hoy envuelta en casos de corrupción, recibía un sueldo de 4000 dólares mensuales como "corresponsal" en Lima de *The Daily Journal*. Nunca escribió una línea. Como se dice en criollo: ¡qué manguangua! Una anécdota más: la quinta que Julio Augusto López tenía en La Lagunita se llamaba "María Isabel", lo que hizo que alguna gente hiciera correr el rumor de que era propiedad de Marisabel Rodríguez, la segunda esposa de Chávez, la mujer con quien estaba cuando llegó al poder. Habladurías del pueblo mismo, falsas pero comprensibles. La gente ha visto tantas marramucias que tiene razón de creer cualquier cosa, por absurda y terrible que parezca. En 1999 Chávez se estaba estrenando como presidente y lo que se nos venía encima era tremendo e inimaginable.

¿De cuántas páginas tendría que ser el informe que nos diera cuenta, a los venezolanos y al resto del mundo, de todos y cada uno de los casos de corrupción que involucran al chavismo? Serían cientos de miles de páginas. ¿Cuántos juicios efectivos ha llevado a cabo la justicia nacional para castigar a los funcionarios corrompidos y a los guisadores vinculados con el gobierno? Se contarán con los dedos de una mano y lo más seguro es que se trate de juicios políticos y pases de factura. En el sonado caso del maletín de los 800.000 dólares que le decomisaron al empresario Guido Antonini Wilson, en un aeropuerto de Buenos Aires, en 2007, ¿quién hizo justicia? Los únicos juicios que dieron resultado relacionados con ese expediente los hicieron tribunales gringos. Ni en Venezuela ni en Argentina se ha castigado a nadie, a pesar de que pruebas no faltan.

Pocos días después de que se descubriera la valija, me llamó una de mis fuentes más confiables para contarme que Antonini se había ido a los Estados Unidos y que les había pedido a las autoridades ser testigo protegido. De inmediato comencé a mover mis fichas y descubrí que, efectivamente, el susodicho estaba en una casa en Plantation, a las afueras de Miami, donde era interrogado exhaustivamente por funcionarios del Departamento del Tesoro, la Drug Enforcement Administration y el Internal Revenue Service, así como por dos asesores del Departamento de Estado. Era su manera de asegurarse que no sería extraditado para posibles juicios en Argentina o Venezuela. Conocía muy bien las implicaciones del hecho y tenían miedo de que lo mataran. El problema es que los 800.000 dólares no eran de Antonini. Él simplemente había servido de llevador de una de las millonarias maletas que iban en ese avión. No era la única. El dinero provenía de PDVSA y estaba destinado a la "campaña" presidencial de Cristina Kirchner: lavado de plata entre los gobiernos de Buenos Aires y Caracas. Sabiendo que estaban metidos en tremendo lío, altos funcionarios venezolanos encargaron a unos emisarios para que fueran a Miami a conversar con Antonini y lo convencieran de armar un plan para exculpar al régimen chavista de cualquier delito. Lo que no sabían era que Antonini Wilson se había cuadrado con el gobierno de los Estados Unidos y, además de cantar información, grababa las conversaciones que sostenía con ellos.

Uno de los comisionados era el abogado Moisés Maionica, cercano al entonces vicepresidente Jorge Rodríguez y a Tibisay Lucena, rectora del Consejo Nacional Electoral. Maionica le financiaba a Lucena sus debilidades capitalistas, como lo denuncié en mi columna de *El Universal*. En Casa Oliveira, le compraba cajas de champaña Laurent-Perrier Rosé, la preferida de "Tiby", y muy frías se las embarcaba en un yate en el que iba a pasar los fines de semana en Los Roques. Una noche, en un concierto de Gustavo Dudamel, en el Teatro Teresa Carrero, a Tibisay y a mí nos tocaba, por casualidad, sentarnos uno al lado del otro. Yo llegué antes que ella. Cuando entró a la sala, se acercó a la fila y me vio, prefirió seguir de largo. Le dije, muy sonriente: "¡Buenas noches, rectora!". Tiby buscó a una asistente de José Antonio Abreu y le dieron otra butaca.

Por aquellos días en que Antonini declaraba, secretamente, como testigo protegido en los EEUU, me encontré a Maionica en el restaurante La Estancia, en Caracas. Lo conocía porque teníamos amigos en común. Le dije: "Mira, tu compinche Antonini está cantando por allá. ¿Tú has vuelto a Miami?". Me contestó que eso era falso, que se habían visto y que no estaba pasando nada raro. Un mes después volvimos a coincidir en el mismo lugar. Se me acercó y me dijo: "Para que veas que lo que me comentaste sobre Antonini es un mojón, he ido dos veces a Miami en estos días y no he tenido ningún problema". Yo no insistí. Allá él. En diciembre de 2007, el FBI lo detuvo, acusado de actuar como agente de un gobierno extranjero sin autorización. Por la misma razón cayeron los empresarios Carlos Kauffman y Franklin Durán. Fueron a juicio y condenados a unos años de cárcel. De los tres, Durán fue el único que no declaró contra el gobierno de Chávez. Asumió su barranco para proteger los negocios que tenía en Venezuela.

El periodista argentino Hugo Alconada Mon, que fue corresponsal del diario *La Nación* en Washington, publicó un libro muy bueno donde expuso la trama delictiva del caso. Se llama *Los secretos de la valija. Del caso Antonini Wilson a la petrodiplomacia de Hugo Chávez*, y ganó el premio Excelencia Periodística de la Sociedad Interamericana de Prensa, en 2009. Me enorgullece poder decir que colaboré con esa investigación. En pleno desarrollo de los acontecimientos, por distintas vías recibí amenazas para que no siguiera informando sobre el caso. Continué. Sin embargo, cuando obtenía datos extremadamente delicados, los compartía con Alconada y otros colegas. Yo sabía lo peligrosos que eran los involucrados en esta red de corrupción, principalmente los funcionarios que, desde PDVSA y el Sebin, hacían hasta lo imposible por tapar el caso. Por invitación de Alconada y los también periodistas Gerardo Reyes y Casto Ocando, de *El Nuevo Herald*, fui a dos audiencias del juicio que se les siguió a Maionica, Kauffman y Durán, en la Corte Federal de Miami. Cuando me presentaron al juez y al fiscal, ambos me dieron las gracias por la información que había suministrado y me preguntaron si tenía más. Les dije, en broma: "Siempre tengo más...".

El régimen chavista puso de moda un estribillo que dice que "la espada de Bolívar camina por América Latina". Hoy sabemos que lo que de verdad camina, y no solo por América Latina, son las valijas de dinero que los gobiernos de Chávez y Maduro han repartido a sus socios y seguidores. Casos de maletas han sido descubiertos en Ecuador, Perú y Bolivia. Igualmente en África: en Mali y Costa de Marfil. En Europa se han embolsado plata, no solo los círculos bolivarianos, sino también partidos políticos, sus dirigentes y sindicalistas. En Francia fue conocido el apoyo financiero que recibió el grupo anticapitalista ATTAC, así como el "escritor" Ignacio Ramonet y su periódico *Le Monde Diplomatique*. A Ramonet Venezuela le pagó los libros que hizo con entrevistas a Fidel y a Chávez. En España es vox populi el dineral que han recibido el partido Podemos y sus dirigentes Pablo Iglesias y Juan Carlos Monedero. Ahora deben estar muy preocupados. Tanto el gobierno del presidente Mariano Rajoy como los medios de comunicación españoles los tienen fiscalizados, y la embajada y los consulados de Venezuela no hallan cómo hacerles llegar los millones de euros que se les han enviado, en efectivo, a Madrid y a otras ciudades del país. Hay un refrán que dice "ladrón que roba ladrón, tiene 100 años de perdón". De él se han agarrado, en España, algunos funcionarios diplomáticos y consulares venezolanos cuando abren las valijas que llegan desde Caracas con esos apetecibles montones de billetes.

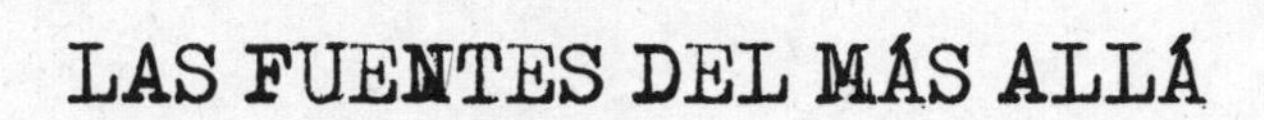
LAS FUENTES DEL MÁS ALLÁ

BOCARANDA VA TODOS LOS DOMINGOS A MISA, esté donde esté, a menos, claro, que el día le agarre en un país remoto donde no haya siquiera una capilla. Cree en Dios y trata de ser fiel a las costumbres católicas, aunque no es en absoluto mojigato ni anda preconizando normas morales de puerta en puerta. Es, sencillamente, un hombre de fe, y con frecuencia agradece a la Providencia y a una corte de santos y presencias en los que cree por todo lo bueno que le ha sucedido y que le sucede en la vida. ¡En aprietos ha estado, y más de una vez, pero siempre se salva! (Toca madera). Y por eso él mismo afirma que algo debe haber más allá de lo que ven los ojos, algo sobrenatural o religioso que actúa en la cotidianidad del hombre, aun si este lo ignora. "Será la 'casualidad", comenta Nelson, como evitando enrollarse en explicaciones de vuelo esotérico que no sabría exponer. Lo que sí es que en este ámbito también tiene cuentos que decir, lo mismo que si se tratase de runrunes de la política o la historia. Hace unos años fue de visita a Jerusalén. Pensando en familiares y amigos, compró dos docenas de rosarios y logró que un obispo se los bendijese sobre el Santo Sepulcro. Volvió a Caracas y los repartió, pero le sobraron algunos. Sabiendo aquello, una de sus varias fuentes, vinculada estrechamente con el gobierno de Hugo Chávez, le pidió uno para regalárselo a doña Elena Frías, la madre del presidente. Un rosario es como el agua: no se le niega a nadie, y Nelson se lo dio, en acuerdo tácito de que aquel hombre no le explicara a doña Elena de dónde lo había sacado. A los días, el informante lo llamó para contarle que no había podido cumplir con el objetivo porque, en el preciso momento en que iba a encontrarse con la señora Frías, otra pariente de Chávez lo interceptó y le dijo que mejor era llevarle ese rosario al presidente, con el deseo de que las gracias de Cristo colaboraran con su recuperación. Ya estaba enfermo.

Como me costaba dar crédito de que eso hubiese sucedido, me comuniqué con otra fuente, que estaba en Cuba, y le pregunté si era cierto que a Chávez le habían llevado un rosario proveniente de Tierra Santa. Me contestó que sí y me preguntó cómo lo sabía. Le eché el cuento y le dije que dejaba en sus manos la decisión de revelarle, o no, al presidente y a su entorno que ese rosario lo había traído yo desde Jerusalén.

¿Y lo reveló?

No sé si Chávez lo supo, pero algunas personas de su círculo inmediato sí se enteraron. Hay una cosa que soy incapaz de sentir, y es indiferencia ante cualquier persona que esté padeciendo de cáncer, sea quien sea. Está a la vista que yo fui y sigo siendo un firme opositor del chavismo, pero observé sin venganza la lucha de Chávez en contra de esa enfermedad, a pesar de todos los males que le causó al país. Yo sé muy bien, por experiencia propia, cómo y cuánto hace sufrir el cáncer, no solo al paciente, sino también a sus familiares y amigos. Bolivia tuvo cáncer de mama. Se lo diagnosticaron en octubre de 1999, y además de ser operada de inmediato, tuvo que recibir quimio y radioterapia. Solo quien ha atravesado la amarga experiencia de raparle la cabellera a su mujer está al tanto del dolor que causa. Fue uno de los momentos más duros de mi vida, aunque desde el principio tuve la certeza de que se curaría, como en efecto ocurrió, gracias a Dios y a sus médicos, a quienes les debo la inmensa alegría de que hayamos podido salir de ese período de tantas preocupaciones y angustias.

Luego de la cirugía en la que se extrajo el tumor del seno izquierdo de Bolivia, los doctores le recomendaron un descanso antes de decidir cuáles eran los pasos a seguir. Nos fuimos a Nueva York, la ciudad donde nos conocimos y donde vivimos los primeros años de nuestra relación. En mis oraciones, le prometí a santa Francisca Javier Cabrini, de quien soy devoto desde hace muchísimo tiempo, que cuando fuese posible iríamos a la ciudad para visitar su capilla y rendirle honores. Es una iglesita entrañable en Fort Washington, sobre las calles 180 y Broadway, en Manhattan. Para los que no lo sepan, santa Francisquita Javier fue una monja italiana que fue enviada a los Estados Unidos por el papa León XIII. Fundó alrededor de 70 orfelinatos en distintas ciudades del país y de América Latina y es considerada la patrona de los inmigrantes. Murió en 1917, y casi 30 años después, en el 46, Su Santidad Pío XII la canonizó. Había hecho el milagro de curar de ceguera a un niño. Es una mujer de rostro hermoso. Su cuerpo permanece incorruptible y está expuesto en la capilla. Mi devoción por ella comenzó a comienzos de los años sesenta. Bajaba las escaleras de la casa de mi familia, en la Alta Florida, cuando vi a una monja delante de una puerta. Fue una alucinación, pero me sacudió. A la vuelta de unas semanas, reconocí la misma figura entre unos retratos de santos que tenía mi tía Blanca Bocaranda de García. De pronto recordé que, en un viaje a Nueva York en el 58, un familiar me había llevado a la capilla de la madre Cabrini. Era ella.

Comencé entonces a transitar el camino de su fe, por el que todavía ando. Cada vez recibo más testimonios de su intercesión de boca de sus devotos. Durante los años en que viví en Nueva York fueron innumerables las visitas que realicé a su santuario, a donde llevé a muchos amigos y parientes. En esa misión continúo hasta hoy, pues comprendo que la abnegación de la madre Cabrini hacia los necesitados es digna de admiración y un ejemplo a seguir. A mí me da fortaleza en momentos difíciles.

¿Crees que la madre Cabrini intercedió para que Bolivia se curara?

No me queda la menor duda. Luego de la operación, nos fuimos a Nueva York para visitarla. Yo tenía pensado que asistiéramos a la misa del domingo siguiente, pero Bolivia prefirió que fuéramos el sábado a la capilla de santa Francisquita. Todo era parte de los designios de Dios, que la razón humana no termina de comprender. Cuando llegamos al santuario, leímos un pequeño aviso que informaba que ese día se realizaría una ceremonia de sanación. Nunca, en mis múltiples visitas, había visto algo similar. Firmamos una caución legal que nos impedía demandar a la iglesia "en caso de impresiones fuertes" y entramos al rito. Se habían dispuesto colchones sobre el piso y había una cantidad de hombres fornidos preparados a cargar a personas que se desmayasen durante la ceremonia. Salieron los oficiantes y un sacerdote, que alertó sobre lo que allí presenciaríamos. Dijo que el espíritu de los apóstoles descendería para auxiliar a los necesitados, y de inmediato se transportó. Despelucaba ver aquello porque el sacerdote oraba en múltiples lenguas. Bolivia y yo observábamos. Al final, nos invitaron a recibir la bendición ante el altar. Cuando nos acercamos, uno de los oficiantes se levantó con rapidez de donde estaba sentado y se dirigió a Bolivia. Le señaló el seno izquierdo, hizo referencia a la cirugía y le dijo: "Tendrás que recibir quimio y radioterapia. Y te vas a curar. Y comenzarás a creer más. Y emprenderás una enorme labor, pues has sido escogida para ello". Nos pusimos a llorar, abrazados a él. Al rato, nos dijo: "Nada es casual sino causal. La madre Cabrini nos trajo por distintos caminos. Yo no venía hoy sino mañana. Vivo a cinco horas de Nueva York y tenía seis meses de atraso para asistir a una ceremonia como la de hoy. Pero Dios nos juntó para que comprendiéramos mejor sus deseos".

Cinco años más tarde, en 2004, Bolivia y yo volvimos a una ceremonia de sanación en el santuario de santa Francisca. Cuál no sería nuestra sorpresa al ver que se acercaba a nosotros aquel oficiante y amigo de 1999. Nos había reconocido. Le dijo a Bolivia: "¿Recuerdas lo que hablamos? Ahora estás curada. No te vayas cuando el rito termine. Hay aquí una mujer latina que no sabe inglés y me gustaría que hablaras con ella". Era una dominicana de alrededor de 70 años a la que le acababan de diagnosticar un cáncer de mama. Bolivia conversó con ella y la ayudó en lo que pudo. Hoy mi esposa está saludable y, junto con otras amigas, dirige SenosAyuda, una asociación civil sin fines de lucro que a lo largo de los años ha atendido a cientos de mujeres afectadas por la misma enfermedad a la que ella, por fortuna y gracia divina, sobrevivió.

Como esa he tenido otras vivencias inolvidables. Un día conocí a Santiago Bonora, un terapeuta espiritual venezolano asombroso. Un ungido. Hace un tiempo supe que el Nuncio Apostólico, no el actual sino uno de sus predecesores, iba a orar con él, en su presencia. Los sacerdotes van a verlo porque tiene dones divinos. Llegas adonde Bonora, él te ve y te dice lo que tienes sin necesidad de que le ofrezcas el menor dato. Tiene el poder de la visualización. Para sanar, pone piedras sobre los chacras, ¡y las piedras se mueven! Entiendo que parezca que estoy diciendo una absurdidad, pero yo lo he visto. Y también Bolivia y mis hijos. Las piedras saltan muy alto. Cuando al militar retirado y exdiputado Francisco Arias Cárdenas se le podía tratar con cierta naturalidad, antes de que comenzase su guabineo político, lo invité un día adonde Bonora. Padecía de un dolor de espalda crónico, de muchos años, y hasta entonces no había dado con la razón. Bonora lo vio y le dijo: "Usted tiene una pierna más larga que la otra. La diferencia es mínima, pero a ella se debe su molestia". Y le recomendó que se pusiera un correctivo en un zapato. Arias Cárdenas salió de ahí corriendo a Dr. Scholl, a buscar una plantilla. Santo remedio. Bonora tenía razón y se curó.

Algo aún más sorprendente nos pasó a Jorge Olavarría, a su esposa Marian y a mí con Bonora. Jorge tenía una hija muy enferma, hospitalizada en Clínicas Caracas. Él era casi completamente agnóstico en ese momento, aunque después comenzó a creer. Tanto, que cuando sabía que se estaba muriendo, pidió que llamaran al monseñor Baltazar Porras para que le diera la extremaunción y así descansar tranquilo... El caso es que lo de la niña lo tenía muy mal porque temía que sucediera lo peor. Recuerdo que cuando murió Silvia Consalvi, la hijita de Simón Alberto, de cáncer, en los setenta, Olavarría me dijo: "A mí me pasa lo que le ha pasado a Simón y me pego un tiro, porque yo no creo en nada". Estando yo, pues, al tanto del sufrimiento que le causaba ver a su propia muchacha enferma, me fui a casa de Bonora, solo, para escuchar lo que pudiera decirme. Le conté lo que ocurría, cerró los ojos y repitió: "La hija, la hija...". Y luego: "Se va a curar. Olavarría salvó a una niña que se estaba ahogando y la Virgen lo va a recompensar". Yo no entendí, pero llamé a la clínica para conversar con Jorge. Atendió Marian. Cuando le dije lo que Bonora me acababa de transmitir, dio un grito y lanzó el teléfono. Volvimos a hablar y me pidió que fuese para allá de inmediato, pero yo no podía. Me confesó que muchos años atrás, Jorge había rescatado a la hija de un vecino que se ahogaba en la piscina de su casa. Para evitar el chismorreo, Marian, Olavarría y los padres de la niña habían jurado no contar nunca a nadie lo que había sucedido... La niña de Jorge salió de la gravedad y se recuperó.

Sobre salvaciones milagrosas yo tengo una anécdota propia. Fue en febrero de 1968, el día de la apertura de la Plaza de Toros Monumental de Valencia. Mi tío Luis Fernando Wadskier, casado con Graciela Bocaranda, tenía boletos para ver la corrida inaugural desde un buen lugar, casi desde la barrera. Era el presidente de Funval, la empresa que organizaba aquella feria histórica para la tauromaquia venezolana. Aunque yo no era aficionado, fui con él. Recuerdo que a nuestro lado estaba José Manuel Siso Martínez, el ministro de Educación. Todo iba bien hasta que Tomás "El Cabezón" Parra, uno de los matadores de la tarde, fue a descabellar a un toro que no había logrado matar porque entró mal en la última suerte. Se le había quedado medio estoque afuera. El problema es que cuando El Cabezón Parra quiso herir en la cerviz al toro con la puntilla que se usa en el descabello, la bestia dio un brinco y el estoque salió volando. Vino a darme a mí con el puño de hierro en la boca, me fisuró el maxilar y me reventó unos dientes. Me atendieron de inmediato. Un médico me cosió las heridas, sin anestesia porque no había. Era la primera vez que se usaba la enfermería de la plaza, y no para salvar a un torero sino a un periodista que estaba allí de asomado, como un pendejo. Al día siguiente, adolorido, acompañé a mi tía Graciela a casa de una bruja. La mujer me leyó las cartas y me dijo que había tenido suerte porque el estoque fácilmente pudo haberme matado. "Un indio que te cuida volteó la espada para impedir que el filo te cortara, por eso te hirió la empuñadura", me explicó. Yo me quedé pálido. Dos años atrás había asistido a una sesión espiritista y una médium, posesa, con voz de hombre, me había dicho: "Yo soy el Indio Gerónimo. Tú estuviste en mi casa y te protejo". Efectivamente, en 1964, en Arizona, yo visité un lugar donde vivió Gerónimo, el famoso jefe militar apache de finales del siglo XIX. No tuve otra opción que creer que aquello era verdad, y eventualmente le dedico una oración a mi protector. No me cuesta nada y así me curo en salud.

Cada quien tiene sus ritos. En Venezuela siempre se ha dicho que el presidente Rómulo Betancourt tenía un brujo que le ensalmaba la pipa. ¿Será verdad?

¡Coño, cómo le gustaba fumar a Betancourt! Hay una foto suya, icónica, en que sale sentado, de perfil, pensativo, echando humo. Parece un chamán, un Churchill a la venezolana. El año 1968, cuando el maestro Luis Beltrán Prieto Figueroa se separó de Acción Democrática para crear su propio partido, una ruptura que tuvo como consecuencia que AD perdiera las elecciones de ese año, yo vi a Betancourt coger una arrechera del carajo que lo hizo romper una pipa. Ahora que lo cuento me percato de que es una imagen simbólica: en el 68, Betancourt rompió una pipa. Fue en la urbanización caraqueña Colinas de Bello Monte, en la quinta Paramillo, perteneciente a la familia de Mimina Carrero, la mujer de Consalvi, quien entonces era director del Instituto Nacional de Cultura. Gracias a él yo estaba allí. Me pidió que lo ayudara a organizar la reunión. Era un encuentro en el que se verían las caras los miembros de la plana mayor de AD con el expresidente Betancourt. Desde luego, yo no entré al salón donde discutían, pero me enteraba de lo que sucedía. Yo creo que lo de la pipa ensalmada no es más que una leyenda urbana, pero quién sabe.

Lo que sí es totalmente cierto y la mayoría de la gente ni sospecha es que Oscar Yanes le metía al esoterismo. Le encantaba esa vaina. Se reunía con un grupo de amigos en su casa, que se llamaba Reportaje, en Vista Alegre, para hablar sobre experiencias extrasensoriales y ciencias ocultas. Uno de los habitué era el periodista Lorenzo Batallán, experto en vampirología. A veces también asistía Beatriz Veit-Tané, la sacerdotisa del culto a María Lionza, de quien se rumoreaba que era la bruja de Carlos Andrés Pérez y de otros políticos. Alguna conexión debía tener Yanes porque a uno le pasaban cosas raras con él. En 1966, estando yo en Venevisión, el canal lo envió como corresponsal a Vietnam, en plena guerra. Un día, perdimos contacto con él. Pasaban las horas y Oscar, desaparecido. Un día, dos días, tres días, y nada. Estábamos verdaderamente angustiados. Una madrugada, lo sentí. Escuché que me dijo que no nos preocupáramos, que no corría ningún peligro. Finalmente, reapareció. Era que andaba por una zona de Vietnam desde donde no había posibilidad de comunicación alguna con el mundo exterior. Cuando regresó, le conté lo que me había sucedido y me respondió: "Yo sabía que ibas a recibir el mensaje"… ¡Así son las cosas!

Unos años después me sucedió algo parecido, pero trágico, no con Yanes sino con otro colega, José Antonio González Araujo, mejor conocido en los medios como Gonzalito. Yo estaba en una convención de la Cadena Venezolana de Televisión con CBS y Time&Life, en el Hotel Macuto Sheraton, en La Guaira. Los ejecutivos de cada canal y yo conversábamos en un salón cuando, de un momento a otro, la puerta se abrió y se cerró sola. Pudo haber sido el aire, qué se yo, pero me dio un escalofrío y le comenté a una persona que tenía a mi lado: "Creo que alguien que conozco se murió". Al regresar a Caracas me enteré de que Gonzalito se había suicidado, por accidente. Era reportero en Venevisión y se había comprado un revólver. Lo llevó al canal para mostrarlo y, al percatarse de que los compañeros se asustaron de solo verlo, abrió el tambor, botó las balas, lo cerró, se puso el cañón en la sien y les dijo: "Miren, que no pasa nada", y apretó el gatillo, con la mala suerte de que se le había quedado adentro una bala. Se voló los sesos delante de todo el mundo. Un espanto.

¿No le has consultado a algún brujo, curandero o parapsicólogo por qué te suceden este tipo de cosas? A lo mejor tienes algún don desconocido.

A finales de los sesenta, cuando vino a Venezuela el sacerdote jesuita español Óscar González Quevedo, fundador del Centro Latinoamericano de Parapsicología, en Brasil, lo entrevisté en CVTV. Fuera del aire, me dijo que se daba cuenta de que yo tenía "materia" para desarrollar la percepción extrasensorial. Le contesté que me daba miedo y me recomendó que lo dejara de lado, pero me advirtió que eventualmente me darían rachas. Y así ha sido. Yo tuve un primo hermano, Luis Jesús Burguera Sardi, que murió en un accidente aéreo. Al principio nos enteramos, como suele suceder en esos casos, de que la avioneta donde viajaba había "desaparecido". Se emprendió la búsqueda y no se hallaba nada. A los dos días, en la noche, escuché la voz de Luis Jesús, que me dijo: "Adiós, primo". Cuando la avioneta apareció, supimos que él había sobrevivido al accidente y que falleció mientras esperaba el rescate. Luis Jesús debe haber muerto en el momento en que se despidió de mí. Estoy seguro.

En 2006 me sucedió otra experiencia muy fuerte. Estaba en el gimnasio del club La Lagunita cuando vi por una ventana que el periodista y amigo Juan Francisco Rodríguez caminaba por el borde de la piscina. Iba vestido de blanco. Pasaba ya los 80 años. Había sido uno de los fundadores de Radio Continente y un narrador insigne de carreras de caballo. Cuando terminé la rutina de ejercicios, fui a darme un masaje y al rato uno de los masajistas me comentó que le parecía raro que Juan Francisco no hubiese llegado, que tenía rato esperándolo. Yo le respondí que hacía una hora lo había visto en el área de la piscina. "Pues, no ha venido", me contestó. Eran las 10 o las 11 de la mañana. En la tarde, sonó el teléfono. Era Yleny Rodríguez, la hija de Juan Francisco, también colega. Me llamaba para pedirme que informara que su padre había fallecido. Le pregunté a qué hora y coincidía con el momento de la visualización. Al día siguiente, en el velorio, varias personas comentaban que Juan Francisco había ido a despedirse de ellas. Muy raro, pero ¡de que vuelan, vuelan! ¡Y vuelan alto!

Uno de mis primeros contactos con esas disciplinas que hacen vida al margen de lo habitual se lo debo a Diego Cisneros. Fue en los años sesenta, durante mi primera época como periodista en Venevisión. Don Diego contrató y trajo a Venezuela a Indra Devi, la gran maestra del yoga en Occidente, para que ofreciera unos talleres a ejecutivos de sus empresas. Yo no era directivo del canal pero como Oscar Yanes estaba de viaje y Cisneros me conocía y me apreciaba mucho, me invitó a que tomara su lugar. Indra Devi fue guía espiritual de Rita Hayworth, Greta Garbo, Gloria Swanson. Conoció a Gandhi, a Krishnamurti. Murió viejita, con 103 años. De los gurús globales de la actualidad al único que conozco es Deepak Chopra. Recuerdo cuando no era tan famoso, venía a Venezuela de visita e iba a la radio. Se sentaba en la sala de espera, como cualquier hijo de vecino, hasta que las productoras lo hacían pasar al estudio para que uno lo entrevistara durante unos minuticos. Ahora es un magnate y el que tiene que hacer cola para sacarle una declaración de tres líneas es uno. No sé si Chopra me recuerde, pero si me recuerda no lo hace con ningún respeto ni cariño. En 2008, en Costa Rica, al rato de haberle hecho una entrevista en vivo para Onda FM, me escuchó imitándolo delante de un grupo de amigos que se destornillaban de la risa. Íbamos en un autobús y yo comencé a echar vaina sin percatarme de que él estaba sentado en un asiento posterior, medio escondido. Cuando me di cuenta era demasiado tarde. El tipo me miró con una cara de perro tremenda. La tentación era muy grande. Chopra habla un inglés muy cómico.

¿Qué hay de cierto en que Chávez practicaba la santería?
Participó en ritos buscando curarse. Y no solo una vez. Estuvo cerca de, al menos, dos oficiantes aparentemente podero-

sos, Adalberto "El Tata" y Amarito "El Babalao". Fidel le había asignado a Chávez la mansión número 9 en El Laguito, una zona donde vivían millonarios hasta que llegó la Revolución, y en el jardín se hicieron sacrificios de gallos y corderos en nombre de Oggun, la deidad patrona de los cirujanos. Luego hubo otras ceremonias. A Nicolás Maduro también le gusta la cosa. Durante su gobierno han venido a Venezuela, traídos por él y por uno de sus ministros, decenas de babalaos. Tiene creencias muy diversas. Fue seguidor de Sai Baba, aquel hombre del que se decía que producía cenizas y materializaba objetos: sobre todo anillos y cadenas. Luego de que Chávez falleció, el principal portavoz del centro donde se congregan los fieles del santón, en la India, dijo que estaba seguro de que la forma de hacer política de Maduro provenía de su fe, "que se basa en principios como la universalidad del amor, la verdad y la paz". Un comentario digno de Ripley's, ¡aunque usted no lo crea!

ENTRETELONES FUERA DEL AIRE

Como figura de la televisión *comenzó a cosechar éxitos desde muy joven. En 1969, con tan solo 24 años de edad, recibió el premio Ondas, que se otorga en España a profesionales de la radio, la TV, el cine y la música mundiales de manos de Radio Barcelona, la hoy celebérrima Cadena SER. El día en que iba a recogerlo, le pidió al cantautor Joan Manuel Serrat que lo ayudara a practicar un agradecimiento en catalán, de modo de corresponder en amistad al público que lo escucharía hablar desde el escenario. Así lo hizo. Era el primero de una serie de reconocimientos que recibiría y que continúa recibiendo como periodista referencial de Hispanoamérica. En Venezuela ya obtuvo la máxima distinción a la que puede aspirar cualquier hombre de la prensa: en 1985, estando Bolivia embarazada de su hija Cristina, fue honrado con el Premio Nacional de Periodismo. Él siempre se ha esmerado en mantenerse activo dentro del gremio. A comienzos de los 70, junto con los colegas Rafael Poleo y José Antonio Carreras Ortiz, participó en la creación del Servicio Iberoamericano de Noticias, que supuso un acuerdo de colaboración informativo entre el canal Televisión Española y estaciones principales de toda América Latina. En los 80, cuando era productor independiente en VTV, se convirtió en el cliente venezolano principal de World Net, un novedoso servicio de noticias lanzado al mundo por la Agencia de Información de los Estados Unidos. Por esa vía conoció a Charles Wick, el asesor estrella en comunicaciones del presidente Ronald Reagan, quien en dos ocasiones lo invitó a participar en convenciones anuales con empresarios de medios globales, en Washington: Robert Maxwell, Rupert Murdoch, Gustavo Cisneros. Como Nelson no tenía dinero para pagar el hotel donde los magnates se alojaban, se hospedaba en uno barato y por las mañanas cogía un taxi para ir a encontrarse con los multimillonarios, a hora precisa, en el lujoso albergue donde estos dormían, a pierna suelta.*

Bolivia me acompañaba. Llegábamos al Willard, el hotel en el que ellos se quedaban, entrábamos por una puertecita trasera, nos reuníamos en el lobby y luego salíamos a montarnos en el autobús que nos llevaba al lugar de la convención, todos juntos.

¿Cuál ha sido tu mejor momento en la televisión?
Ha habido muchos momentos muy buenos, sobre todo en Venevisión, donde trabajé durante dos períodos: de 1964 a 1967 y desde 1988 hasta 2011. Los tres últimos años estuve cobrando sin salir al aire. Había el temor de incomodar al gobierno chavista y los directivos del canal no encontraron una mejor solución. Finalmente, me fui.

¿Te lo dijo directamente Cisneros, tu amigo y dueño del canal?
Con Gustavo nunca he tenido ni un sí ni un no. Él ha dejado que los gerentes que manejan el canal tomen las decisiones que consideren convenientes, de modo que no hacía falta que lo buscara para conversar sobre el asunto. Eso no quiere de-

cir que me parezca que todo se manejó de la mejor manera. Hubo comportamientos absurdos. Hace unos años participé en “La guerra de los sexos”, ese programa de concursos donde un grupo de hombres y otro de mujeres se retan en una competencia muy divertida. Los invitados siempre son personas conocidas por la audiencia: actores, periodistas, cantantes. El programa se grabó a lo largo de todo un día para ser transmitido luego, un sábado. A última hora, Carlos Bardasano, vicepresidente del Grupo Cisneros, decidió que no se emitiera para evitar que el gobierno se molestara porque yo había sido el ganador de la contienda. Lo mismo sucedió con la transmisión anual de los premios Oscar, de la cual yo era el anfitrión. Se me comunicó que dejaría de ocuparme de eso. Así fue como, poco a poco, desaparecí de esa pantalla, luego de 23 años de una intensa y fructífera relación laboral.

¿Te duele?

No guardo rencor. Nadie me quita las experiencias que acumulé durante tanto tiempo en Venevisión, la inmensa cantidad de personajes a los que conocí, desde Barbra Streisand y Arnold Schwarzenegger hasta Bill Clinton y Mijiaíl Gorbachov. Con Barbra me pasó algo increíble. Fui a entrevistarla a Londres con ocasión del estreno de El príncipe de las mareas, una película de la cual ella era la directora y la protagonista, junto con Nick Nolte. Cuando vi el filme, en Caracas, antes del viaje, me di cuenta de que había una frase mal traducida. Llegué a ver a Barbra y se lo comenté, antes de que comenzáramos a grabar. La mujer se levantó y empezó a dar órdenes. Formó un revuelo grandísimo.

Hablaba por teléfono y decía que cómo era posible que hubiese un error en la versión en español, que ella tenía en puertas el viaje promocional a España y que aquello debía enmendarse de inmediato. Después supe que Barbra es conocida como la mujer más perfeccionista de Hollywood. Con Clinton la anécdota también es graciosa. Lo conocí en el 97, cuando vino a Venezuela, en el palacio de Miraflores. Había una fila para saludarlo. Él estaba de pie, junto al presidente Caldera. Cuando llegó mi turno, le di la mano y Caldera, un poco distraído, le dijo: "Este es un periodista insigne, de más de 80 años, con una trayectoria impecable", a lo que Clinton respondió, asombrado: "But it's impossible! You look so young!", "¡Es imposible! ¡Te ves tan joven!". Era un error, obviamente. Detrás de mí venía Abelardo Raidi y Caldera hizo el comentario en referencia a él, pero Clinton, con razón, se confundió.

Además de narrar eventualmente el noticiero y de participar en actividades especiales, en Venevisión fuiste anfitrión de dos programas que gozaban de muy buena audiencia: "Lo que pasa en el mundo" y "Vox Populi". Sin embargo, no ha habido en tu carrera un éxito televisivo comparable con el que tuviste como conductor de "A puerta cerrada", en Radio Caracas Televisión, en los 80.

Fue un éxito explicable: era la primera vez que se hacía un talk show en Venezuela. El formato era totalmente novedoso y caló en el público. En los Estados Unidos estaba de moda un programa de variedades llamado "Donahue", que era el apellido del presentador, Phil Donahue, y en RCTV querían hacer algo parecido. Yo fui a conocer a Phil y recuerdo los consejos que me dio. Me dijo: "La televisión sirve para educar, pero la clave es enseñar sin que la gente se dé cuenta de que está aprendiendo". Es decir que hay que educar entreteniendo. Y me recordó: "No te olvides de que el rating sube cuando se habla de sexo y de salud". Dicho y hecho. En "A puerta cerrada" abordamos temas muy poco tratados e, incluso, nunca antes tratados en la televisión venezolana. Allí Boris Izaguirre dijo al aire que era homosexual. Fuimos a comerciales y el presidente Lusinchi llamó al canal para hablar conmigo. Me puse al teléfono. Me dijo: "¡Carajo, Nelson, hay que ser bien macho para decir en público que uno es marico, como acaba de hacer Boris! ¡Qué valiente! ¡Lo felicito!".

Recuerdo que a mí me angustiaba mucho cuando algún invitado se ponía a llorar. No sabía qué hacer. Hernán Pérez Belisario, el zar de RCTV, me reclamó porque cortaba a la gente apenas rompía en llanto. Y me ordenó: "Acércate y tócalos, consiéntelos para que lloren más. ¡Eso vende! ¡Eso vende!". Pérez Belisario fue el gran apoyo de Eladio Lárez en Radio Caracas. Eran compinches. A Eladio todo el mundo lo llamaba, en secreto, "El-odio" Lárez, porque era muy jodido. No permitía que ninguna persona a la que considerara su competencia ascendiera dentro del canal. Así logró quitar de en medio a Napoleón Bravo, a Guillermo "Fantástico" González, etcétera, etcétera. Gracias a Dios que en "A puerta cerrada" nos fue muy bien. El prologuista era el hoy archiconocido poeta y escritor de telenovelas Leonardo Padrón.

En el 86, cuando me fui de RCTV a VTV, Leonardo se fue conmigo. Allí hice, como productor independiente, el programa

"En confianza", con el mismo formato de "A puerta cerrada", y también "Es noticia". Finalmente, en 1988, me fui a Venevisión. Coincidí con Cisneros en un viaje a Madrid y eso fue crucial para que me contratara. Gustavo se dio cuenta de lo difícil que era para mí seguir trabajando en Venezolana de Televisión, el canal del Estado, con Blanca Ibáñez como la secretaria-amante del presidente Lusinchi y mandamás en el gobierno.

¿Cómo se dio cuenta?

Lusinchi iba de visita oficial a España. Consalvi, que era el canciller, me pidió que fuese al viaje y entrevistara a Felipe González, presidente del gobierno español, para VTV. Por esos mismos días me llamó Blanca para decirme, casi para ordenarme, que yo tenía que ir a España para darle cobertura a todas las actividades en las que ella iba a participar y a nada más. Le respondí que lo lamentaba mucho, pero que ya estaba comprometido. Se arrechó, como era de esperar, pero no le hice caso y me fui a Madrid. Toda la comitiva que acompañaba a Lusinchi se alojaba en el Hotel Ritz, al lado del Museo del Prado. Yo también. Cuando Blanca me vio llegar, hizo una de las suyas. Mandó al jefe de la Casa Militar, que viajaba con ella, a que hablara conmigo para notificarme que no podía alojarme allí. Para evitar escenas desagradables, me fui al Eurobuilding. Cisneros, que estaba en Madrid, se enteró del asunto, y para ayudarme a conseguir la entrevista con González, me invitó a una reunión con él. Felipe y yo nos conocíamos, claro. Habíamos estado juntos en el viaje en el que Carlos Andrés Pérez lo llevó de Ginebra a Madrid, tras la muerte de Franco. Pero no hay duda de que la mediación de Gustavo lograría un compromiso absoluto de su parte. Le dijo: "Mira, Felipe, Nelson y tú tienen que hablar: tú le cuentas chismes sobre España, él te cuenta chismes sobre Venezuela y hacen tremendo programa para la televisión". Y así fue. Conversamos durante 40 minutos y la entrevista fue transmitida por VTV, ¡contra la voluntad de Blanca Ibáñez! Lusinchi se impuso y ella no pudo hacer nada.

No fue la única vez que logré vencer las artimañas de esa señora. Durante los gobiernos de Carlos Andrés Pérez y Luis Herrera Campins, entre 1979 y 1984, se represó el otorgamiento de las licencias de radio en frecuencia modulada, FM, por lo que le correspondió concederlas, finalmente, a Lusinchi. Algunos radiodifusores, entre los cuales surgieron licenciatarios que nada tenían que ver con el negocio, fueron premiados. Otros no. Los rumores sobre negativas y aprobaciones cundían por todas partes. La mano de Blanca Ibáñez estaba de por medio. Sabiendo de mi amistad con el presidente, el buen amigo Enrique Cuscó, hoy propietario del Circuito Unión Radio, me llamó un día para que intercediera ante él. Su prometida licencia para lo que hoy es 107.3 FM no terminaba de salir. Desde mi oficina en Radio Capital, minutos antes de arrancar mi programa "La Cola Feliz", que entonces hacía junto con la colega Adelita Sánchez, tomé el teléfono y llamé a Lusinchi. Le recordé quién era Cuscó, pues él conocía a su padre, que había sido gerente de Venevisión. Le dije que estaba en el negocio de la radiodifusión y que era copropietario de la empresa que le había montado la antena de televisión por satélite en el palacio de Miraflores. Le insistí, a sabiendas de que Blanca era quien imponía la tranca. Al día siguiente, Lusinchi actuó y Cuscó logró lo que quería. De mi parte jamás solicité ninguna prebenda ni me aproveché de mi amistad con Jaime, a quien aprecié hasta el día de su muerte. E igualmente al presidente Herrera Campins. Hace unos años, estando ya Chávez en el poder, Luis Herrera y yo coincidimos en el cumpleaños de una amiga en común. Me produjo un inmenso dolor verlo llegar en taxi y luego irse también en taxi. Chávez les quitó a todos los exgobernantes de Venezuela el automóvil que tenían asignado para trasladarse. Tanto Lusinchi como Herrera Campins murieron pobres. A Jaime, además, Blanca lo había abandonado.

¿Por qué te trataba mal Blanca Ibáñez? ¿A qué se debía la enemistad?

Venganza. Un domingo, a comienzos de su mandato, Lusinchi había llamado a la casa para invitarnos, a Bolivia y a mí, a pasar un rato con él en Miraflores. Le respondimos que ese era el único día de la semana en el que podíamos estar en familia y que preferíamos no salir, pero que gustosamente podíamos recibirlo nosotros a él, si quería. Bolivia me pidió que le advirtiera, sin embargo, que si iba a visitarnos, lo hiciera solo o con su esposa, "con la otra, ni hablar". Eso bastó para que Blanca Ibáñez nos hiciera la cruz. Lo bueno entre todo, como decía, es que luego del viaje a España Cisneros decidió contratarme en Venevisión. Me llamó Rodolfo Rodríguez García, vicepresidente del canal, para ofrecerme que me fuera a trabajar con ellos. No lo dude ni un segundo.

Era el comienzo de una nueva etapa en mi vida. Una etapa, diría yo, de consolidación. Pasaba los 40 años de edad, Bolivia y yo habíamos tenido a nuestros dos hijos, Nelson Eduardo y Cristina, y yo acumulaba una experiencia periodística de casi tres décadas. Además, Venevisión era un gran canal. Arrastraba a muchísimo público. Ejercía un poder social avasallante. Desde un punto de vista personal para mí fue como volver a un viejo hogar: Venevisión había sido la primera televisora de mi carrera.

Te convertiste en el entrevistador estrella del canal, lo que te permitió estar en contacto prácticamente con todos y cada uno de los grandes personajes que vivían en Venezuela o venían de visita. ¿Hay alguna entrevista que te resulte emblemática?

Es difícil responder a esa pregunta. Quizá la entrevista, no sé si emblemática, pero sí más comentada, fue una que le hice a Fidel Castro cuando vino a Venezuela, en febrero de 1989, para asistir a la toma de posesión de Carlos Andrés Pérez, una ceremonia a la que la gente se refirió, sarcásticamente, como "la coronación". En vez de darse en el Congreso de la República, donde siempre se había celebrado el acto de investidura presidencial, se organizó un espectáculo apoteósico en la sala Ríos Reyna del Teatro Teresa Carreño. Fueron convocados alrededor de 30 mandatarios del mundo entero, entre ellos Fidel, quien aceptó venir a Venezuela por primera vez en varias décadas. Él, que no salía de los países que formaban parte de la órbita comunista, quiso hacer una excepción para felicitar en persona a Carlos Andrés Pérez. Ellos habían sido enemigos durante el gobierno de Betancourt, cuando CAP era ministro del Interior y luchaba contra la guerrilla, pero se habían amistado en el 74, con la reanudación de las relaciones diplomáticas entre Venezuela y Cuba.

Su visita causó un escándalo muy grande en el país. Por todas partes salían defensores de Fidel. Por todas partes salían detractores de Fidel. Era como si por unos días hubiéramos vuelto a una época pasada, aparentemente superada. Cisneros, que entendía que el momento era histórico, me dijo que había que hacer lo imposible para lograr que Castro nos diera una entrevista. Sabíamos que sería difícil, porque Venevisión no era el único canal que quería lo mismo, pero había que hacer el esfuerzo. Sería una guerra cerrada por la primicia. Me puse a trabajar. Estuve día y medio detrás del comandante. Al salir de la toma de posesión de Pérez, logré por fin superar los controles de seguridad, me acerqué a Fidel y hablé con él. El gobierno de Venezuela había designado al diplomático Sebastián Alegrett, que era un gran amigo mío, como su asistente civil. En medio del bullicio, en plena conversación, el fotógrafo venezolano Vasco Szinetar le pegó un grito desde una baranda para llamar su atención. Fidel levantó la vista, se le quedó mirando y Vasco hizo uno de los mejores retratos de su carrera. Allí aparezco yo, en la oscuridad, junto a Castro, diciéndole algo casi al oído.

Mi argumento para persuadirlo de que me diera la entrevista fue muy claro: le dije que Venevisión era el canal más anticastrista del país y que allí era donde él debía salir para causar un mayor impacto. Yo sabía que Marcel Granier, directivo de RCTV, hacía gestiones para que Fidel apareciera en su programa "Primer plano". El comandante se convenció y se comprometió conmigo. Se hospedaba en el Eurobuilding, que estaba recién concluido y aún no se había inaugurado. El gobierno venezolano había logrado que los dueños del hotel permitieran que la delegación cubana se quedase allí, de modo que estuvieran apartados del resto de los invitados, tal como ellos habían solicitado. No obstante, el acuerdo de Fidel conmigo fue que nos encontráramos en el Hilton, donde él se reuniría con otros mandatarios de América Latina, ese mismo día. Lo entrevisté durante 91 minutos. A lo largo del encuentro, a la habitación donde estábamos entraron, entre otros, los presidentes Alan García, del Perú, y Daniel Ortega, de Nicaragua. Fueron a escuchar a Castro, sentados detrás de las cámaras.

Algunas personas te criticaron porque no arrinconaste a Fidel. ¿Por qué lo dejaste hablar a sus anchas en vez de confrontarlo constantemente?

Precisamente por eso: porque se trataba de poner a hablar a un hombre al que no lo habíamos escuchado declarar nada, fuera de su ámbito, desde hacía muchos años. Si yo hubiese llegado con una actitud combativa, la entrevista se hubiese frustrado. Sus detractores me tildaron de castrista y hubo incluso quienes dijeron que Venevisión se había arrodillado ante la dictadura cubana. Ni una cosa ni la otra. Éramos un periodista y un medio de comunicación que sacaban al aire a un hombre controversial. Por lo demás, sí le hice comentarios incómodos. Recuerdo, por ejemplo, que le dije que lo veía cambiado y que si no sería que ya estaba cerca "el otoño del patriarca", para usar el título de la novela de García Márquez. Muy hábil, zorro viejo, después de guabinear un rato me dijo que él más bien creía estar viviendo "la primavera del patriarca". También le pregunté por qué si Rusia, con Gorbachov, se estaba abriendo al mundo, Cuba, con Fidel, insistía en permanecer cerrada, a lo que él respondió lo esperado: que Rusia no era Cuba ni Cuba, Rusia. Que cada país debía buscar sus propias "fórmulas". Llegué incluso a cometer la herejía contrarrevolucionaria de mencionarle los fusilamientos que había cometido, "porque se dice que Fidel mataba y mataba". Palabras textuales. Se quiso ir por la tangente y me contestó que eran más las vidas que había salvado. Lo atajé y lo precisé: "¿Costó o no costó muchas vidas la Revolución?". Él se escabulló con la explicación de que más muertos había provocado la lucha contra la dictadura de Fulgencio Batista. Para terminar, le mencioné la peculiaridad de su amistad con el presidente Pérez, de quien había sido un adversario. Me dijo: "Para que tú veas, la dialéctica de la vida. Me hablaban ayer de líderes jóvenes y yo mencioné a Carlos Andrés, porque él es eternamente joven, ¿no es verdad? Hay que quitarse el sombrero ante la capacidad de trabajo de Carlos Andrés".

¿Hubo algo en particular que te llamara la atención de Fidel Castro, algo que no hayas comentado hasta ahora?
Sí, que es un tipo con una estatura que no se corresponde con el tamaño de sus pies. Usa unas boticas muy pe-

queñas. De eso no me di cuenta en la entrevista de 1989 sino después, en el 99, en La Habana, durante una rueda de prensa que comenzó a las 7 de la noche y terminó al amanecer del día siguiente, una vaina eterna. Chávez había ganado las elecciones en diciembre del año anterior y en Venezuela estábamos en pleno proceso de cambio legislativo, elaborando una nueva Constitución. Fui a Cuba, como corresponsal de Venevisión, para escuchar a Fidel opinar sobre lo que aquí estaba sucediendo. Él ya conocía a Chávez, que lo había ido a visitar, pero allí dio a entender que no estaba ligado a él. Ha sido la rueda de prensa más larga que me ha tocado. Para colmo, ¡toda la noche y la madrugada! ¡Y prácticamente sin comer! Solo a la 1 o las 2 de la mañana Fidel mandó a sacar unos canapés que habían quedado de una actividad de un mes atrás. Comimos pan duro con queso viejo. Y unos heladitos. La mayoría de los periodistas cabeceaban. Como yo aguanté, al final el comandante me dijo que él me llevaba al aeropuerto. Regresaba a Caracas esa misma mañana en un vuelo de TACA, vía Costa Rica. Le dije que no porque necesitaba ir al hotel. De haber aceptado, me hubiese sido difícil llamar a Venevisión y a Unión Radio para informar lo que Fidel había dicho durante las horas finales de la rueda de prensa, que no fueron transmitidas por satélite por razones de horario. Antes de despedirnos, le hice una solicitud: que me diera una caja de habanos para Consalvi, y me dio dos: la segunda, para mí. El colega Roger Santodomingo le pidió otra para Teodoro Petkoff.

Otra cosa: a mitad de la rueda de prensa, en plena madrugada, cuando pidió los pasapalos, Fidel se levantó para ir al baño. Todos aprovechamos para estirar las piernas. Esa noche había visto que Castro tosía con demasiada insistencia. De curioso, me acerqué a su puesto y, con cuidado, con un bolígrafo, revisé su pañuelo y vi que había esputos con sangre. Fidel también tenía una soriasis bastante avanzada. Cinco días después de ese encuentro con él, en Venezuela se celebraron las elecciones para la Asamblea Constituyente y ocurrió la tragedia de Vargas. Para mí, ambas cosas fueron un deslave. La segunda semana de enero de 2000, me invitó a desayunar el embajador estadounidense John Maisto en su residencia, en la Alta Florida, con el exsenador Frank Church, quien por años había abogado por los presos políticos cubanos, por mejorar las relaciones entre su país y Cuba, y levantar parte del embargo. Church había viajado muchas veces a la isla, y tras saber que yo estuve 12 horas con Fidel, me preguntó cómo lo encontré, pues corrían rumores con respecto a su estado de salud. Fidel ha estado al borde de la muerte muchas veces, pero por alguna razón siempre se recupera.

Viendo bien en la historia, Fidel Castro no es el único amigo de Carlos Andrés Pérez que luego también lo fue de Chávez. Ahí está José Vicente Rangel, a quien Pérez ayudó en varios momentos de su vida. En uno de ellos yo mismo fui el intermediario. CAP acababa de llegar a la presidencia la segunda vez. Bolivia había decidido ligarse las trompas y estábamos en el Hospital de Clínicas Caracas. Por casualidad, a la habitación contigua llegó de emergencia José Vicente, que se había dado un golpe contundente en la cabeza. La escultora Ana Ávalos, su mujer, se acercó para hablar conmigo. Me preguntó si podía hacerle el favor de llamar al presidente, informarle el problema de salud que tenía su esposo y pedirle su apoyo, porque era muy probable que hubiese que buscar atención médica en el extranjero. Llamé a Miraflores y me atendió el oficial Romel Fuenmayor, edecán de Pérez. Le conté lo que sucedía, de modo que él se lo comunicara a Carlos Andrés. El presidente actuó rápidamente: montó a José Vicente en un avión y lo envió a Cuba para que lo chequearan y se curara.

La segunda vez que supe que CAP auxiliaba a Rangel fue en los noventa. Un grupo de colegas y yo habíamos fundado el Caracas Press Club, una organización cuyo objetivo era abrir un espacio de intercambio de información clasificada entre periodistas. En ese momento yo lo presidía. Pérez, destituido y enjuiciado, cumplía condena de casa por cárcel en su quinta La Ahumada, en Caracas, y a Luis Vezga Godoy y a mí se nos ocurrió preparar una reunión especial para hablar con él, ahora que atravesaba una situación tan compleja e inaudita. Convocamos a los miembros del Press Club para la hora del almuerzo, el día convenido, pero Luis y yo nos fuimos más temprano para La Ahumada a fin de ultimar los detalles del encuentro. En la entrada de la casa nos cruzamos con la misma Ana Ávalos, que iba saliendo. Lo primero que le preguntamos a Pérez, luego de saludarlo, fue cuál era la razón de la visita de "Anita", como la llaman algunos. Nos resultaba sospechosa porque, a pesar de la ayuda que previamente le había ofrecido Pérez a José Vicente, este lo había tildado de corrupto por televisión, es decir, había colaborado con la jauría que se le fue encima y que derivó en su defenestración. Para nuestra sorpresa, CAP nos reveló que Ana Ávalos de Rangel había ido a pedirle que la ayudara a vender una escultura suya a algún amigo que tuviera real para comprarla. "José Vicente y ella andan fallos de dinero", dijo Carlos Andrés, y nos confió que trataría de que los dueños del Banco Hipotecario de Occidente, viejos aliados suyos, adquirieran la obra que Ana tenía a la venta. A Luis y a mí no se nos cayó la quijada de casualidad. Pérez se justificó con un argumento que era muy común en él: "A los amigos hay que apoyarlos hasta la muerte, pase lo que pase". La reunión con CAP fue un éxito, una de las más concurridas, más extensas y con mayor cantidad de "gatos negros" en mucho tiempo… Un "gato negro" era una información confidencial que podíamos usar sin mencionar la fuente... Estos son episodios de la pequeña historia venezolana que cuesta creer, pero a los que uno, como periodista, ha tenido acceso y por eso está en la obligación de rendir cuentas de su veracidad.

Cuando el presidente Pérez tuvo que separarse de su cargo para ser sometido a juicio, el doctor Ramón J. Velásquez, profesor tuyo en la Escuela de Periodismo, asumió el poder. ¿Estuviste en contacto con él? ¿Cómo viviste los meses de su interinato?

Los viví como el resto de los venezolanos: a la expectativa, pero confiaba en que saldríamos del atolladero porque Velásquez haría bien su trabajo. Lo terrible de ese período es que a cada rato surgían rumores de que estaba en marcha un golpe de Estado. En una de esas ocasiones el presidente me convocó a Miraflores para decirme que contaba conmigo en caso de que su ministro de la Defensa, el vicealmirante Radamés Muñoz León, tratara de derrocarlo, cosa que él temía. Era una estrategia del viejo Ramón Jota: enterar a la prensa de informaciones confidenciales con el objetivo de frustrar cualquier conspiración que avanzara en la oscuridad. No pasó nada, pero el día antes de entregar la presidencia, volvió a llamarme a palacio. Era para otorgarme la Orden del Libertador "por sus servicios a la República". Yo interpreté esa exageración como un gesto de amistad que le hacía un querido profesor a un antiguo alumno.

Velásquez era un político con una red de contactos muy grande, y no solo en Venezuela sino también en Colombia, una nación a la que quería como su segunda patria. No puedo olvidar que el 11 de agosto de 1989 tuve el honor de coincidir con él en una reunión con Luis Carlos Galán, gran líder del Partido Liberal Colombiano y quien había sido ministro de Educación del gobierno de Misael Pastrana. Galán, que entonces era el candidato principal a la presidencia de su país, vino a Caracas y nos invitaron a un grupo de periodistas a almorzar con él. El embajador Gustavo Vasco Muñoz era el anfitrión y Velásquez, el comensal de lujo. Allí pudimos conocer a un hombre histórico, con un carisma muy grande. Concluida la comida, Ramón Jota acompañó a Galán al hotel para que recogiera sus maletas, partiera al aeropuerto y regresara a Colombia, donde continuaría con su intensa campaña electoral. Antes de despedirse, Galán le dijo a Velásquez: "Quiero que sepa que si no me matan y llego a la presidencia, me gustaría que usted asistiera a mi toma de posesión". Una semana más tarde, el 18 de agosto, unos sicarios al servicio del narcotraficante Pablo Escobar lo asesinaron durante un acto público. La frase de Galán la conozco gracias al diplomático Edgar C. Otálvora, a quien se la refirió el propio Velásquez, de quien fue un colaborador muy cercano.

Hay que ver que los retos que ha tenido que afrontar la democracia para instalarse y mantenerse en pie en las naciones latinoamericanas han sido verdaderamente arduos. Vivimos rehaciendo nuestra vida política. Es una historia infinita. En esa lucha el periodismo ha cumplido un papel fundamental, de defensa de las libertades del ciudadano y del derecho que tienen las sociedades a estar informadas sobre el comportamiento de sus gobernantes. Dicho así parece un cliché, pero quienes vivimos dentro de la prensa sabemos que no se trata de una frase hecha sino de una actividad combativa, que lo pone a uno siempre a prueba como comunicador. Por eso es que, insisto, es necesario que los que nos vamos poniendo viejos contemos a las nuevas generaciones nuestras experiencias, no sea cuestión de que se olviden.

No hace mucho tiempo el historiador Edgardo Mondolfi me invitó a que presentara un libro suyo sobre el presidente Betancourt. Mientras lo leía para preparar las palabras que tenía que decir, me asombraba al darme cuenta de que lo que hoy forma parte de un pasado supuestamente remoto no es lo tanto para los que fuimos testigos de épocas fundamentales. El tema central de la investigación de Mondolfi eran las diversas insurrecciones militares que sufrió Betancourt, de todas las cuales yo me acordaba. Desde que, en 1959, se instauró la democracia en Venezuela, he visto de cerca el movimiento del país desde mi posición de reportero. La mayoría han sido situaciones buenas, pero también he visto las más oscuras. Los últimos 25 años han sido particularmente dinámicos: el Caracazo, en el 89, las intentonas de golpe, a comienzos de los 90, la muerte política de Pérez, en el 93, el triunfo de Chávez, en el 98, el paro petrolero y la matanza de abril de 2002, ¡ese horror!

¿Dónde estabas tú el 11 de abril, cuando Chávez estaba liquidado y el empresario Pedro Carmona Estanga se preparaba para asumir la presidencia durante aquellos minutos fatales?
Una buena parte del día estuve en un búnker que montó Venevisión para salir al aire, vía satélite, en caso de que el gobierno cortara las transmisiones. Era en la urbanización Macaracuay, en Caracas. A las 7 de la noche me fui al canal, donde me dejaron metido en una oficina. El jefe del departamento de Prensa me tenía ojeriza y ordenó que únicamente Napoleón Bravo y Eduardo Rodríguez salieran al aire. Fueron horas de mucha angustia y la situación era increíblemente confusa. De Venevisión entraba y salía gente de toda clase de una manera inusual, pero comprensible por las circunstancias. Alrededor de las 3 de la mañana, me fui para mi casa. Al día siguiente, el 12 de abril, volví al canal, estuve allí unas horas y me lancé para la radio. Jorge Olavarría era mi invitado en el programa ese día. Estábamos al aire cuando Carmona se juramentó a sí mismo, aquel disparate nefasto. Sin pensarlo dos veces, Olavarría

lo tildó de dictadorzuelo y dijo que se convertía de inmediato en su firme opositor. Estaba enfurecido. Yo me plegué a Jorge en su rechazo a la manera como se estaban dando los acontecimientos, lo que impidió que posteriormente los chavistas encontraran razones para insultarme con la misma violencia con que arremetieron en contra de tantos amigos míos, aunque no faltó quien aprovechara el rollo para descalificarme. La noche del 13 de abril, en vísperas de la restitución de Chávez en el poder, Cisneros esperó hasta que la mayoría de los empleados del canal regresáramos a nuestras casas antes de abandonarlo él. Cogió su avión y salió del país, por medidas de seguridad.

¿Durante esos días te comunicaste con funcionarios del gobierno chavista?

Sí. Uno de ellos fue José Gregorio Vielma Mora, el actual gobernador del estado Táchira y exdirector del Servicio Nacional Integrado de Administración Aduanera y Tributaria. En ese momento él era presidente del aeropuerto de Maiquetía. Yo había establecido muy buena relación con Vielma Mora cuando, en mi casa, se celebraron unas reuniones entre aerolíneas estadounidenses y el gobierno venezolano para elevar, de categoría dos a categoría uno, el nivel de seguridad aeroportuaria venezolana.

¿Por qué esas reuniones se realizaron en tu casa?

En el año 71, estando en la oficina de turismo en Nueva York, conocí a Peter J. Dolara, quien era ejecutivo de Trans Caribbean

Airways, posteriormente adquirida por American Airlines. Cuando, en agosto de 1987, American compró las rutas de la línea Eastern, en el paquete venía la de Venezuela. Peter y yo nos reencontramos y me convertí en uno de sus asesores, lo que implicaba mantener a American en buenas relaciones con los distintos gobiernos venezolanos. Hasta el de Chávez. Junto con José Vicente Rangel, cuando era vicepresidente de la República, y su asistente el diplomático René Arreaza, Vielma Mora fue clave para la concertación entre la Federal Aviation Administration y el Ministerio de Transporte venezolano. Dolara se jubiló de American Airlines en 2014 y mi relación con esa línea expira este año de 2015. A ese vínculo se debe que yo haya tenido la oportunidad de recorrer el mundo con mi familia.

El 12 de abril de 2002, en pleno lío golpista, me llamó Alan Viergutz, un empresario que presidía la Cámara Venezolana de Petróleo, para pedirme que lo ayudara a salir del país con su familia y una amiga de su hija que estaba de vacaciones en Caracas. El aeropuerto estaba colapsado por la confusión en la que andaba el país. Llamé a Vielma Mora y ese mismo día logramos que el avión de Viergutz despegara al extranjero. Resulta que la amiguita de la niña de Alan era una hija de Dominique de Villepin, quien era la mano derecha del presidente francés Jacques Chirac. Villepin asumió la cartera de Relaciones Exteriores un mes después, en mayo de 2002. Supe que, mientras Viergutz esperaba en Maiquetía la salida de su avión, se mantenía en contacto permanente con él y con Chirac, a quienes informaba detalles de lo que sucedía en Venezuela. La embajada de Francia había dado asilo a algunos miembros del gobierno chavista, que cuando todo pasó se fueron sin dar las gracias. Uno de ellos habría sido el fiscal general de la República, Isaías Rodríguez, hoy embajador en Roma.

Viergutz regresó a Venezuela unos días después y me dijo que Villepin me daba las gracias y que estaba a la orden para cualquier cosa que necesitase en París. El mundo es muy pequeño. En 2004 fui de vacaciones con mi familia a Marruecos. Cuando estábamos llegando al hotel donde nos alojaríamos, en Fez, el Palais Jamais, el acceso estaba restringido. El motivo: Villepin, entonces ministro del Interior, se hospedaba allí. Mis hijos me recordaron que ese era el papá de la niña que había ayudado a sacar del país cuando el golpe de abril y que debería dejarle una nota de saludo. ¡Uno nunca sabe cuándo va a necesitar al gobierno de Francia! A las dos de la mañana sonó el teléfono de la habitación y un funcionario me informó que el ministro Villepin quería hablar conmigo. Mi sorpresa fue enorme cuando escuché a un hombre que me saludaba: "¡Coño, Nelson, ¿cómo está la vaina?! ¿Cómo siguen las cosas por Caracas?". Hasta entonces yo no sabía que Villepin había vivido parte de su juventud en Venezuela. Su padre fue diplomático durante los gobiernos de Pérez Jiménez y Betancourt. Alan y Dominique fueron compañeros de pupitre en el prestigioso Colegio Francia, hoy en día uno de los institutos favoritos de los jerarcas del régimen chavista, que mandan allí a sus hijos.

Venevisión, que durante toda la democracia había sido escenario nacional, la noche del 11 de abril también lo fue. Carmona Estanga estuvo ese día allí de visita, pero yo preferí ver los toros desde la barrera. Me parecía todo muy extraño y no quise implicarme. Cuando hablé con Vielma Mora le dije que si llegara a necesitar un lugar donde esconderse, mi casa estaba a la orden. Dos días después, ya Chávez de regreso, fue Vielma el que me llamó a mí para ofrecerme la suya. La gente no debe extrañarse de que uno, como periodista, cultive relaciones con funcionarios del gobierno, sea el que sea. Si en otras épocas la información oficial fluía sin dificultad, durante el régimen chavista el objetivo ha sido cerrar todas las vías para lograr la cacareada hegemonía comunicacional. Eso ha hecho más difícil establecer nexos con cualquier figura ligada al poder y, por lo mismo, cada fuente que uno logra es muy valiosa.

Tengo la suerte de ser amigo de infancia de Mario Villarroel Lander. Fuimos vecinos en la Alta Florida. A lo largo de los años ese vínculo se ha mantenido y ampliado a nuestras esposas e hijos. Su casa, en la urbanización Altamira, siempre la he considerado un oráculo. La visitan tirios y troyanos. Allí me he topado, en los últimos 40 años, tanto con gente del gobierno como de la oposición. Y lo mismo civiles que militares. Mario siempre ha estado muy bien informado y es una persona muy consultada por sectores que hacen vida nacional e internacional. Él es un puente. No he dejado de llevarme sorpresas cuando lo he ido a visitar sin anunciarme. Les habrá sucedido lo mismo, o mucho más, a algunos personajes que no esperaban verme llegar. Esa casa es una mina.

¿Fue allí donde conociste a la fuente principal que te informó sobre la enfermedad de Hugo Chávez?

No. Nada que ver. Esa fuente estaba "más arriba".

EL PODER DE LOS SECRETOS

Pasado el mediodía del viernes 24 de junio de 2011, recibí una llamada telefónica de una fuente muy buena con la cual me mantenía en contacto desde hacía varios años. Me buscó para decirme que tenía en sus manos una información sumamente grave y para preguntarme si quería recibirla y publicarla en mi columna de prensa, aun si eso implicaba que me cayera encima el aparato de intimidación del gobierno chavista. Le pregunté si confiaba en mí, a lo que me contestó que sí, que totalmente. Le argumenté que nunca nos habíamos fallado el uno al otro y que quedaba a la espera de escuchar cualquier cosa que necesitara comunicarme. Trancamos. Alrededor de la medianoche, me llamó de nuevo. Aunque ambos teníamos teléfonos cifrados y podíamos hablar de viva voz, preferimos continuar la conversación a través del sistema de mensajes de Blackberry, cuya seguridad sabíamos totalmente blindada. Él estaba en La Habana. Yo, en la playa, pasando unos días de vacaciones con Bolivia. Me dijo: "Lo que voy a revelarte va a cambiar la historia de Venezuela". Y un instante después, agregó: "Chávez tiene cáncer y puede que sea irreversible". Me quedé helado, a pesar de que, en el transcurso de las últimas semanas, otra fuente me venía advirtiendo sobre una "posible" enfermedad que aquejaba al presidente. Lo dejé continuar, sin presionarlo, y, uno a uno, me dio los detalles del estado en el cual se encontraba Chávez y cuáles serían las consecuencias. Esa primera conversación entre nosotros duró cuatro o cinco horas. En la medida en que él *cantaba*, yo tomaba notas. A veces me perdía y tenía que recapitular. Era tal la cantidad de información, que el Blackberry Messenger eliminaba los mensajes más viejos para que pudieran entrar nuevos. Cuando me di cuenta de eso, comencé a hacer *copy-paste* y a enviarme correos electrónicos a mí mismo para no perder ni una coma. Mi fuente mostraba una paciencia total. Nos despedimos hasta el día siguiente y me senté a escribir un artículo que titulé "Rompiendo el cerco informativo: Las verdades de la enfermedad del presidente Chávez". Al amanecer, llamé a Elides Rojas, el jefe de Redacción de *El Universal*, donde publico mi columna. Cuando le conté lo que tenía, se alarmó. Temeroso, con razón, de que se tratara de una trampa que me hubiesen montado, dijo que prefería no arriesgarse con la primicia. Le respondí que no había ningún problema, que yo la publicaría en mi página web Runrun.es ese mismo día: el 25 de junio. El domingo 26, en pleno escándalo, *El Universal* se hizo eco y reprodujo la noticia, pero borró las iniciales de los médicos que trataban a Chávez en ese momento. Dos de esos médicos eran familiares del asistente de Andrés Mata, el dueño del periódico.

Quien te llamó, desde La Habana, ¿es venezolano o cubano?
Tiene doble nacionalidad.

¿Civil o militar?
Civil, pero casi militar.

¿Es el secretario de Raúl Castro con el cual tienes contacto desde 2008, el que conociste en un vuelo entre San José de Costa Rica y Caracas?
No. Era un hombre más bien cercano a Chávez, directamente.

¿Cuál era, con exactitud, el vínculo que tenía con él?
Lo asistía en cosas que necesitase.

Es decir, era un edecán.
No era un edecán, pero cumplía funciones parecidas. Aquí hay un asunto claro, que se comprenderá muy bien: revelar la fuente es un imposible.

En cualquier caso, había una relación previa entre ustedes.
Si no hubiese sido así, yo no hubiera dado aquel tubazo. Para lanzar algo de esa naturaleza, hay que estar total y absolutamente seguro.

¿No se te pasó por la cabeza que podía ser un peine que alguien te ponía?
No, porque confiaba en mi informante. Todavía confío en él. Sigue activo y cantando.

¿Continúa en el gobierno venezolano?
Continúa ligado estrechamente a algunos componentes del gobierno.

¿Con qué frecuencia hablabas con él?
Al principio, casi a diario. Luego, esporádicamente. Al final, cuando las cosas empeoraron, hablábamos varias veces al día, incluso durante horas de la noche.

Escribiste en tu columna que nadie excepto los hijos de Chávez, los hermanos Castro y Maduro tenían acceso a la habitación del presidente. ¿Y tu fuente?
No sé si mi fuente tenía acceso físico a la habitación, pero lo sabía todo.

¿Cómo comenzó el vía crucis de Chávez?
Esta vez me gustaría empezar por el final, revelando de una vez por todas qué tipo de cáncer liquidó al presidente. Chávez tenía un sarcoma retroperitoneal, de variedad leiomiosarcoma, un tumor muy malo y traicionero que afecta a tejidos blandos, no responde ni a quimio ni a radioterapia y que tiende a progresar inexorablemente hasta la muerte. El cáncer de Chávez se originó en la zona pélvica e hizo metástasis en los huesos, el páncreas y un riñón. El problema con ese tipo de sarcoma es que suele manifestarse cuando ya está muy avanzado y no hay mucho que hacer. El primer síntoma que tuvo fue a finales de febrero o principios de marzo de 2011, cuando sintió problemas para orinar. De inmediato se hizo ver por un eminente urólogo del Hospital de Clínicas Caracas, quien lo atendió en el llamado "hospitalito" de Fuerte Tiuna. Era el primer alerta de que su condición prostática recomendaba tratamiento y chequeos permanen-

tes de su antígeno o PSA. Más tarde, hacia el mes de mayo, el presidente desarrolló una carnosidad anal, la cual le fue operada en el mismo hospitalito militar. A su machismo le incomodaba reconocer que sufría una dolencia rectal. Los médicos que lo atendieron en esa ocasión, aquel urólogo y un infectólogo-inmunólogo del Centro Médico de Caracas, le recomendaron cuidarse más y llevar las cosas con calma por un período prudencial. Haciendo uso de su proverbial autosuficiencia, en fase de "sabelotodo", Chávez ignoró la recomendación y se metió de lleno en cadenas de radio y televisión y en movilizaciones de la Misión Vivienda. Además, decidió ocuparse del problema de los apagones eléctricos. Estaba desesperado ante la ineficiencia de sus colaboradores, dada la inmensa cantidad de problemas acumulados a lo largo de 12 años de revolución bolivariana. Otro malestar, esta vez en la rodilla izquierda, lo afectó a los pocos días. Obligado por un médico traumatólogo de la clínica El Ávila, recomendado por otro paciente, su amigo y exministro Alí Rodríguez Araque, empezó guardar reposo. Este doctor, Alirio Villanueva, gran conversador, usó su simpatía personal para convencerlo de la necesidad de que cuidara el estado de su pierna. Por esos días vino a Caracas Luiz Inácio Lula Da Silva, a quien Chávez recibió en Miraflores. Entre otras cosas, Lula le anunció que la presidenta Dilma Rousseff lo recibiría tras haber cancelado cuatro veces un encuentro pendiente. Eso provocó que el caudillo bolivariano cogiera de inmediato su avión para ir a Brasilia, desde donde siguió a Ecuador, país con el cual también tenía en agenda reuniones que no había atendido. Remató el viaje con una inevitable parada en La Habana. Hablaba con Fidel cuando de pronto le dio un mareo muy fuerte. Fidel, alarmado, lo obligó a que médicos cubanos de su confianza le realizaran un chequeo. Eso condujo a la primera operación en suelo antillano: supuestamente de un "absceso" en la rodilla. Fue la primera información oficial en medio del acostumbrado secreto informativo. Lo que no se dijo en ese momento es que ese absceso anunciaba la muy posible presencia de un cáncer. Afortunado como había sido muchas veces en su vida, Chávez tuvo la suerte de que un médico español que había operado a Fidel, años atrás, de una obstrucción intestinal, estaba en Cuba para cumplir con el control semestral del dictador. Era el doctor José Luis García Sabrido, jefe de cirugía del Hospital Gregorio Marañón de Madrid. Con el tiempo se supo que hubo mala praxis de parte de los médicos cubanos en esa primera operación a Chávez. El doctor García Sabrido trató de enmendar el daño, pero el daño ya estaba hecho. Como es obvio, la familia del presidente se preocupó. Sus hijas Rosa Virginia y María Gabriela comenzaron a hacer consultas y asumieron un papel protagónico en el manejo de la situación. La angustia creció cuando una tomografía reveló que había un daño mayor del esperado en la próstata y que Chávez debía volver a quirófano para que se la extirparan. El mismo urólogo del Hospital de Clínicas dirigió a distancia, por video desde Caracas, una cirugía que llevó a cabo otro médico español, en ese caso no García Sabrido, a quien asistieron dos colegas cubanos. Fue en el Centro de Investigaciones Médico Quirúrgicas de La

Habana, el Cimeq. Entretanto, otro médico venezolano, inmunólogo del Baptist Hospital de Miami y del Tufts Medical Center de Boston, fue llevado a Cuba para que hiciera los cortes para la biopsia transoperatoria por congelación que se realizaría en esos centros de salud. La biopsia era crucial porque despejaría todas las incógnitas. Los resultados confirmaron los temores: el presidente tenía cáncer y debía comenzar un intenso tratamiento cuanto antes. Se le aplicó radiación y bloqueo hormonal. Una de las primeras preocupaciones que tuvo Chávez cuando se enteró de lo que le pasaba era no poder presidir el desfile militar del Bicentenario, el 5 de Julio. Estaba loco por asistir. Sabiendo que Fidel no estaba de acuerdo con que lo hiciera, le pidió a Rodríguez Araque que tratara de convencerlo de que era muy importante que él se presentara en un acto de tanta trascendencia histórica, pero Castro insistió en que Chávez tenía que reposar. Entre julio y septiembre de 2011, el presidente recibió cinco sesiones de quimioterapia.

¿Cómo se vivió la situación dentro del gobierno venezolano?

Apenas se supo que Chávez estaba aquejado de salud, explotó el desastre. Se desataron los demonios. Cada quien comenzó su propia epopeya por la sucesión. Un par de días después de que yo di la primicia, el entonces presidente de la Asamblea Nacional, Fernando Soto Rojas, declaró a la prensa que Chávez no tenía cáncer, y que si lo tuviese él sería el primero en informárselo al país. El comandante habló con él por teléfono, desde La Habana, y le reclamó: "¡Deja de andar hablando sobre el cáncer, que tú no eres médico!". Otro que se llevó un buen regaño fue Adán, su propio hermano, en aquel momento gobernador del estado de Barinas. En medio de aquel lío Adán había salido a decir la locura de que si Chávez llegaba a perder las elecciones que se celebrarían en 2012, había que irse a las armas para salvar la Revolución. Enfurecido, el presidente se comunicó con él y lo reprendió duramente: "¡Cállate la jeta, carajo, cómo se te ocurre decir eso! ¡Otra metida de pata!". Adán fue uno de los primeros que se imaginaban a sí mismos como el sucesor. Como no tenía una relación fluida con su hermano, comenzó a moverse clandestinamente con la pretensión de asumir el liderazgo del "proceso" en la eventualidad de que Hugo Rafael no pudiera concurrir como candidato el año siguiente. Aunque deseos no empreñan, esa sola aspiración preocupó a más de un dirigente, no solo en territorio venezolano, sino también en Cuba. Doña Elena Frías de Chávez también llegó a pensar en Adán como el posible heredero del presidente, a pesar de que su muchacho favorito era otro, Argenis, y así se lo hizo saber a Chávez, pero este se hizo de oídos sordos.

¿Fidel y Raúl Castro desconfiaban de Adán Chávez?

Los Castro estaban conscientes de que su aliado verdadero, y probado, era Hugo Chávez. Las otras dos fichas que tenían en Venezuela eran el canciller Nicolás Maduro y el vicepresidente Elías Jaua. Y en mucho menor grado, Jorge Arreaza, quien con Jaua era y es integrante del Frente Francisco de Miranda, el colectivo ideológico y entrenado en La Habana para defender las revoluciones cubana y venezolana.

¿Fue entonces, ante esa situación, cuando alguien decidió transmitirte la información de todo lo que estaba sucediendo con Chávez y en el interior del gobierno?
Sí, creo que los tiempos coinciden.

Meses más tarde, superado el tratamiento, el 20 de febrero de 2012, que era lunes de Carnaval, cuando mucha gente creía que Chávez ya estaba totalmente curado, saltaste de nuevo al escenario informativo al anunciar que había sufrido una recaída y que otra vez debía de ser operado. ¿Ese dato te llegó de la misma fuente de junio de 2011?
Sí, aunque debo decir que una vez que di la primera primicia sobre la enfermedad de Chávez, comenzaron a llegar a mí otros informantes, sin que yo los buscara. En el transcurso de los 21 meses que duró el padecimiento y la agonía del presidente, hasta el día de su fallecimiento, estuve en contacto, no solamente con mi fuente principal, sino también con médicos en Venezuela, Brasil, España y los Estados Unidos.

¿Eran los médicos tratantes del paciente?
No, eran médicos consultados por los tratantes. En cierto momento, de Chávez se encargaron únicamente médicos cubanos. Lo que pasa es que su familia, para estar más tranquila, se aseguró de que se estableciera una junta internacional de consejeros. En eso colaboraron el expresidente Lula, la presidenta Rousseff, el doctor García Sabrido y los médicos venezolanos que habían participado en las primeras consultas. Uno de estos últimos, desde Nueva York, era el contacto

con el Hospital Sirio Libanés de São Paulo y el MD Anderson Cancer Center de Houston, dos lugares en los cuales había profesionales que recibían y revisaban los partes médicos.

¿Tenías acceso a esos partes médicos?
Tenía acceso a los datos principales que rendían cuenta del estado de Chávez.

¿Diariamente?
Sí, diariamente.

¿Tus informantes estaban al tanto, entre ellos, de quiénes eran los demás?
Si no lo sabían, se lo imaginaban, porque yo cruzaba información para no cometer errores al escribir mis tuits y mis columnas de Runrunes. A la gente le impactaba que informara, eventualmente, la temperatura y el pulso del paciente. Publicaba ese tipo de detalles sobre todo cuando algún "ministrico" del chavismo salía a tildarme de mentiroso. Uno que se llevó tremendo chasco fue el propio Jaua. Yo revelé que Chávez requería de una nueva operación porque supe que, en un chequeo regular que se le había realizado en La Habana, habían vuelto a encontrar células cancerosas. Durante la inauguración de unas instalaciones de la empresa ensambladora Veneminsk, en el Complejo Agroindustrial Santa Inés, en Barinas, que se transmitía en cadena nacional, Jaua se le acercó a Chávez para decirle: "Oiga, presidente, ese coño de madre de Bocaranda está diciendo que a usted lo tienen que volver a operar". Chávez le respondió: "Bocaranda tiene razón, lo voy a

anunciar ahora". Y lo anunció. Otro que quedó en ridículo en esa ocasión fue Andrés Izarra, el ministro de Comunicaciones, quien apenas un par de horas antes había "informado" al país que mis afirmaciones eran falsas. Todavía no me lo perdonan.

¿Cómo supiste de esa conversación entre Jaua y el presidente, si fue íntima?
Me lo contó un jerarca militar del régimen. Por cierto, con ese y otro alto oficial del chavismo yo me reuní, a petición de ellos mismos, el jueves 3 de mayo de 2012, en una oficina privada en la urbanización Las Mercedes. Conversamos desde las 10 de la noche hasta la 1 de la mañana. El interés de ambos se centraba en saber la verdadera situación de Chávez y si llegaba vivo a las elecciones presidenciales de octubre, en las que se mediría con Henrique Capriles. Me confesaron que no tenían información fidedigna sobre el estado de salud de su jefe porque ni Maduro ni los cubanos los mantenían al tanto, veraz y oportunamente.

¿De quiénes estamos hablando?
No lo puedo revelar. Aunque si lo hiciera, hoy, ellos serían más cuestionados que yo. La gente se caería para atrás, como Condorito. Por lo demás, hubo el acuerdo tácito entre ambas partes de que respetaríamos el secreto.

¿Esos militares siguen mandando, actualmente?
Sí, y desde arriba. La persona que propició esta reunión, así como un testigo al que yo llevé, rompieron el hielo para que los cinco pudiéramos hablar abiertamente. Unas Coca Cola

y unas pizzas frías fue el menú de la noche. De entrada, uno de los uniformados me ofreció excusas por los muchos tuits ofensivos que había publicado en mi contra. Yo le respondí: "Tranquilo. Gajes del oficio". Además de contestar a las preguntas que me hicieron, aproveché para decirles que no había ninguna necesidad de que nos sometieran a los periodistas al escarnio público, como si fuésemos unos mercenarios. "Mis fuentes son tan buenas y confiables que incluso ustedes quieren hablar conmigo", les comenté.

¿Cómo se explica que dos altos funcionarios del gobierno no estuvieran plenamente enterados del estado de salud del presidente de la República?

Eso revela lo que hasta hoy es una constante en Venezuela: el régimen chavista es un archipiélago de grupos entre los cuales no siempre hay comunicación.

Pero en ese momento Chávez, que era el factor cohesionador, estaba vivo.

Sí, vivo, pero en La Habana y en vías de extinción. La situación dentro del gobierno chavista era tan inverosímil, que mejor informada estaba Cristina Kirchner que muchos ministros venezolanos. De todos los presidentes de América Latina que visitaron Cuba mientras Chávez estuvo recluido en el Cimeq, solo la Kirchner tenía el permiso de la familia para acceder a su habitación. Pero la única vez que fue a La Habana para estar cerca del paciente, en enero de 2013, se negó a entrar. Les dijo a los familiares que prefería guardar la imagen del hombre sano y fuerte que había conocido. Chávez y Cristina tenían más que una amistad. Había entre ellos un "entendimiento" mutuo. Tanto así que él pensó que, cuando muriese, ella podía encargarse de sus hijos, pero eso no fue posible dada la crisis económico política de Argentina y mucho menos después de que a la Kirchner le diera un mini derrame cerebral y comenzara a ser frecuente verla desvariar en público. Quedó y sigue "cucú". Así como Chávez era un encantador de serpientes en la política, era hábil entusiasmando a mujeres importantes, desde jefas de Estado hasta modelos y actrices. Una de ellas fue la londinense Naomi Campbell, quien un día quiso aclarar que el caudillo venezolano "no es ningún gorila, sino un toro". En 2008 vino a Caracas, contratada por la revista *GQ*, para hacerle una entrevista al presidente. Estuvo tres días con él, para arriba y para abajo, con cenas y desayunos incluidos. Posteriormente declararía que lo que más recordaba de su estancia en Venezuela eran las horas que había pasado con Chávez en un apartamento de playa de un amigo. Efectivamente, era un apartamento que le había prestado a Chávez uno de sus edecanes, en Caraballeda.

El guerrillero colombiano Rodrigo Londoño, mejor conocido como Timochenko, ha afirmado que vio a Chávez, en La Habana, cuando estaba enfermo, ¿eso es cierto?

Sí, pero cuando el presidente todavía caminaba, no durante su gravedad. Ese encuentro no debe resultarle raro a nadie, ya que Timochenko y sus compañeros veían con frecuencia a Chávez en Caracas. Desde el primer día del gobierno chavista comenzaron a llegar a Venezuela líderes del Ejército de Liberación Nacional, el ELN, y de las Fuerzas Armadas Revolucionarias de Colombia, las FARC. ¡Algunos incluso tuvieron oficina en la propia Cancillería! Entre ellos, Raúl Reyes e Iván Márquez. El famoso Marulanda también era un consentido de Chávez. En una oportunidad denuncié que un grupo de estos líderes radicales estaba alojado en la casa asignada al comandante general del Ejército, en la urbanización Cumbres de Curumo, en Caracas. Eso hizo que Caracol TV y el canal NTN24 asignaran la tarea a sus reporteros de que le dieran cobertura a la noticia. Buscando intimidarme, el ministro Andrés Izarra me apodó como "El Chacal de la Información". Para corresponder a tan alto honor, corrí a abrir una cuenta de correo electrónico con ese nombre. La publiqué en mi columna y de inmediato comenzó a llegarme información de todo tipo por esa vía. Chávez era experto en rodearse de gente muy "particular". Basta echarles un ojo a los miembros de sus distintos gabinetes de gobierno. O recordar algunos de los rostros que vimos durante su velatorio. ¡Desde Mahmud Ahmadineyad hasta Piedad Córdoba, pasando por Alexis Tsipras, Sean Penn y el reverendo Jesse Jackson!

¿Quién estuvo a cargo de la organización del funeral de Estado del presidente en la Academia Militar?

Su hija María Gabriela. Ella fue muy selectiva con las personas que tendrían acceso al acto, y por eso algunos renombrados miembros del chavismo no pintaron por allí. Luego aparecieron vestidos de rojo, muy vistosos, en el homenaje que los militares del 4 de Febrero le rindieron en el Museo Histórico Militar, hoy Cuartel de La Montaña, donde reposa Chávez.

¿Por qué los restos de Chávez están allí si, como tú mismo informaste en su momento, su voluntad era que lo enterraran en su Sabaneta natal?

Él quería descansar en el solar de la casa de su abuela, pero una vez más sus deseos no fueron respetados. El Cuartel de la Montaña da más réditos políticos que un discreto panteón en un pueblo lejano. Farruco Sesto, el titular del rimbombante Ministerio del Poder Popular para la Transformación Revolucionaria de la Gran Caracas, hizo el negocio de su vida con la construcción de un mausoleo para Chávez, pero Chávez no lo quiso y se destinó a los huesos de Bolívar. Entonces Farruco decidió preparar una tumba en Barinas para cuando llegara el momento de que su jefe se despidiese de este mundo, pero el presidente se murió y aquello estaba a medio hacer. Y así se quedó.

¿Dónde y cuándo murió Hugo Chávez?

Que quede claro de una vez y para siempre: el presidente Chávez murió en el Hospital Militar Carlos Arvelo, en Caracas, el 5 de marzo de 2013 a las 4 y 25 con 5 segundos de la tarde. Es la hora exacta. Nicolás Maduro lo anunció ese mismo día, en cadena nacional, luego de las 5.

¿A qué se debe el rumor de que falleció en La Habana, el 30 de diciembre de 2012?

A que desde ese momento sobrevivió conectado a un respirador artificial y se pensó que tenía las horas contadas. Eso se regó como pólvora, sin mucho detalle, y la noche de Año Nuevo todo el mundo decía que había muerto. El rumor fue tan fuerte que el primero de enero recibí una llamada del despacho de un presidente latinoamericano que quería confirmar conmigo la noticia. Yo estaba de viaje en Sudáfrica, con mi familia, y le respondí que no era cierto. De haber sucedido, yo habría estado al tanto porque me hubieran avisado.

¿De la oficina de cuál mandatario se trataba?
Tengo el compromiso de no dar detalles. Lo único que puedo decir es que la llamada no provenía del despacho de Fidel Castro.

¿En qué circunstancias falleció el presidente?
Lo desconectaron a las 3 horas con 5 minutos y 15 segundos de la tarde, y casi una hora y media después le dio un infarto pulmonar y colapsó. La gente recordará que, previamente, ese mismo día, Maduro, desconcertado, había lanzado una cadena de radio y televisión para atacar a la derecha corrupta, disociada, enfermiza, golpista, imperialista, etcétera. Un mal guion que parecía copiado de la Guerra Fría, tal vez *made in Cuba*. Llegó al delirio de anunciar que los Estados Unidos preparaban una invasión a Venezuela. Aquí el dato desconocido, mucha atención: alrededor de las 11 de la mañana habían desconectado a Chávez, ¡pero lo volvieron a conectar minutos más tarde porque Maduro apareció con la

angustia de que algo muy malo e inminente podía suceder! La situación se tornó muy confusa. Por unas horas todo el mundo perdió los papeles. Finalmente, a media tarde, reinó la sensatez y pasó lo que pasó.

¿Quiénes tomaron la decisión de desconectar al presidente?
Desde el viernes 22 de febrero de 2013 se tuvo la intención de retirarle la ayuda respiratoria. Sus condiciones de salud eran precarias e irreversibles. La decisión se retrasó porque hubo desacuerdos entre doña Elena y las hijas del presidente. Rosa Virginia y María Gabriela, agobiadas por el sufrimiento de ver así a su padre, consideraban que era hora de poner punto final a la situación, pero la abuela se oponía. Doña Elena esperaba un milagro. Luego de varios días de discusiones, se resolvió desconectarlo el martes 5.

Entre diciembre de 2012 y marzo de 2013, muchos de los ministros y colaboradores del presidente le dijeron al país que se reunían con él durante horas. ¿Es mentira?
Eso es totalmente falso. Era imposible que un paciente en esas condiciones se reuniera ni trabajara con nadie ni que firmara documentos. Chávez estuvo varios meses tumbado en una cama, en coma inducido. A veces lo sacaban de la sedación, pero los dolores eran insoportables. Las últimas semanas perdió más de 30 kilos.

Eso quiere decir que todos los decretos que supuestamente firmó son ilegítimos.

Esa es una pregunta que tendría que responder un abogado constitucionalista. Algunos, incluso chavistas, ya lo han hecho. Todos coinciden en la ilegalidad.

¿Por qué no embalsamaron el cuerpo de Chávez, como Maduro anunció que se haría?
Porque la naturaleza actuó más rápido. El cáncer se había extendido de tal manera que el cuerpo del presidente comenzó a descomponerse con una celeridad que impidió llevar a cabo el procedimiento. Además, la burocracia los dominó. Cada quien tenía una opinión diferente. Unos lo veían como Lenin, otros como Mao y otros como Ho Chi Minh. Es significativo que sea precisamente la izquierda política la que embalsame muertos.

¿El cuerpo que se expuso en la Academia Militar era el cadáver de Chávez?
Era el cadáver de Chávez, pero a muchos les pareció un muñeco por lo hinchado y deforme que estaba. La primera persona que reaccionó, con una combinación de rabia y tristeza juntas, fue Cristina Kirchner. Cuando se acercó a la urna, junto con las hijas del comandante y la presidenta Dilma Rousseff, exclamó: "¡¿Cómo es posible que le hagan esto a Hugo?!". Esa misma noche, se regresó a Buenos Aires y Dilma la siguió. No se quedaron para el funeral. Estaban impactadas. Tras ese incidente, se tomaron las previsiones para que el cadáver no se deteriorara definitivamente a lo largo de los días por venir. Cada medianoche, y hasta las cinco de la

mañana, la Funeraria Vallés se encargaba de lavar el cuerpo de Chávez con formol y otras sustancias, de modo de hacerlo presentable para las horas de su exposición en capilla ardiente. Que se sepa: en lo que el régimen chavista sí le mintió de manera flagrante al pueblo seguidor de Chávez fue en hacerle creer que la urna que salió del Hospital Militar contenía el cuerpo del líder bolivariano. Nada que ver. Esa urna, que recorrió buena parte de Caracas acompañada por miles de personas, estaba llena de piedras. El cadáver de Chávez salió secretamente del Hospital hacia la Academia.

¿De cuánto es la fortuna que dejó Chávez?
Yo creo que su desorden de vida era tal, que no pensó demasiado en eso. A Chávez lo que le interesaba era el tiempo presente y el poder. Lo que sí es cierto es que dejó endeudada a Venezuela y en las peores manos.

Chávez lo anunció la última vez que lo vimos vivo, el 8 de diciembre de 2012, pero ¿cuándo se tomó la decisión de que Maduro sería su sustituto?
Él venía rumiando la idea, pero yo creo que la decisión se tomó ese mismo día, cuando le dijeron que era imperativo que se tenía que operar una vez más. Si revisamos el video de ese momento podemos darnos cuenta de que, entre todos, el más sorprendido era el mismo Maduro.

¿Maduro no sabía?
Su cara decía que no. O quiso fingir.

¿Por qué Chávez lo escogió a él y no a otro de sus funcionarios?
Es obvio que por los vínculos de Maduro con Cuba. Así se aseguraba la continuidad de la relación entre las dos "revoluciones".

¿Quiere decir que la determinación de que Maduro asumiera las riendas del gobierno no fue solo de Chávez sino también de los Castro?
Todo indica que así fue, en efecto, aunque la decisión final fue del propio presidente.

¿Cuál fue la reacción de otros poderosos dentro del gobierno ante esa orden?
Yo solo presté atención a la cara de Diosdado Cabello y del ministro de la Defensa, el almirante Diego Molero Bellavia. Asombrados ambos.

¿El 14 de abril de 2013, Maduro le ganó las elecciones a Henrique Capriles o no?
Según las cifras del CNE, sí. Sin embargo, hay un hecho en el que participé que me sembró muchas dudas. La noche de las elecciones estaban reunidos en una sala situacional, en el centro de Caracas, algunos jerarcas del régimen como Maduro, Diosdado y Jorge Rodríguez. Muy tarde ese día, antes de que Tibisay Lucena diera los resultados, un amigo muy cercano al alto poder militar se comunicó conmigo y me informó que, aunque por poco margen, la victoria era roja. Por el temor de que la estrecha diferencia provocara un caos en el país, me pidió que lanzara un

tuit anunciando esa realidad. Era una fuente en la que confiaba absolutamente, el responsable de mi encuentro con aquellos dos altos oficiales en Las Mercedes. Publiqué el tuit, y resulta que en la mencionada sala situacional lo estaban esperando. "Bocaranda lo acaba de decir en Twitter. A él sí le creen", dijeron. "Esto ayudará a que la oposición no cante victoria adelantada".

¿Y por qué eso te hizo dudar de que Maduro hubiera ganado de verdad, verdad?
Porque si hubiesen tenido la victoria totalmente en la mano, no hubieran estado esperando el tuit de un periodista.

¿Sientes que te usaron?
No. Esa fuente es de una lealtad a toda prueba. Pero fue evidente que el régimen quiso aprovecharse de que yo diera una información que les convenía.

¿Qué hubiese pasado si no hubieras publicado ese tuit?
Exactamente lo mismo que pasó.

Pero ¿ganó o no ganó Nicolás Maduro?
Si eliminamos todas las ventajas, las presiones y el dinero repartido, con apenas un punto porcentual de diferencia, el triunfo tendría que haber sido de Capriles.

¿Por qué Capriles no se arriesgó en la defensa de los votos?
Por temores muy bien fundados de que se desatara una guerra de terribles consecuencias para la población venezolana, ya que

las armas estaban y siguen estando en manos de militares y colectivos chavistas. Insisto: por temores muy bien fundados, más que por ingenuidad de Henrique o porque él confiase en una supuesta credibilidad de la Unión de Naciones Suramericanas, la Unasur, que falsamente se comprometió a asegurar que se llevaría a cabo una estricta auditoría electoral.

¿Hay alguna pregunta que no hayas logrado despejar todavía con respecto a la enfermedad y muerte del llamado "comandante bolivariano"?
Sí. Después de todo esto me queda una duda que espero disipar algún día. Me gustaría saber quién autorizó a que se me suministrara la información: ¿Chávez, Fidel o Raúl?

¿Quién crees?
No lo sé. Quizá fue una decisión que tomaron entre los tres. Esos hombres conocían muy bien el poder de los secretos.

Nelson en imágenes

Nelson José con sus padres, Alfredo Bocaranda e Italia Sardi de Bocaranda, en su casa de Boconó

El joven Nelson Bocaranda Sardi en el cuadro de honor del colegio La Salle La Colina, en 1956

El día de su graduación de bachiller, en 1962, acompañado por sus padres

Con el padre Alberto Ancízar y el grupo de estudiantes invitado a la campaña presidencial estadounidense Johnson-Goldwater

DE LA CONSTITUCION NACIONAL

ARTICULO 66

Todos tienen derecho de expresar su pensamiento de viva voz o por escrito y de hacer uso para ello de cualquier medio de difusión, sin que pueda establecerse censura previa; pero quedan sujetas a pena, de conformidad con la Ley, las expresiones que constituyan delito.

ARTICULO 48

Todo agente de autoridad que ejecute medidas restrictivas de la libertad deberá identificarse como tal cuando así lo exijan las personas afectadas.

ESCUELA DE PERIODISMO
CARACAS

El Titular de este carnet es:
ESTUDIANTE DE PERIODISMO
en práctica de información. Se agradece a quien corresponda tomar nota de esta circunstancia y no dar a este alumno menores ni mayores facilidades que a los profesionales.

ALBERTO ANCIZAR, S. J.
El Director de la Escuela

Caracas: 1 *de* Noviembre *de* 1961

TELEFONO: 81.33.55

El famoso carnet de reportero validado por el padre Ancízar Mendoza, director de la Escuela de Periodismo de la UCAB, y el profesor Carlos Delgado Dugarte

La foto de Bocaranda que encandiló al presidente John F. Kennedy, durante su visita a Venezuela, en diciembre de 1961 y que provocó que este le diera un coscorrón

Reporteando en Miraflores, detrás del presidente Raúl Leoni, en 1964

En el Palacio de Miraflores, el 13 de diciembre de 1966, día del ametrallamiento al general Roberto Moreán Soto, jefe del Estado Mayor. Nelson ve por televisión su entrevista a Moreán en el Hospital Militar, acompañado por el ministro de la Defensa, Ramón Florencio Gómez, y otros miembros del Alto Mando

Dándole la bienvenida a Gilberto Correa en Venevisión, 1965

La primera gran entrevista de televisión que hizo Bocaranda en Venevisión fue a Geraldine Chaplin, en Caracas, en 1965

Acompañando al senador Robert Kennedy en la inauguración del Barrio Kennedy durante su visita a Venezuela, en 1965

En 1965 entrevista al presidente de Italia Giuseppe Saragat, en el Círculo Militar de Caracas

En 1966, entrevistando a tres dirigentes políticos: Ramón Escovar Salom, Jesús Ángel Paz Galarraga y Alirio Ugarte Pelayo. Este último se suicidaría semenas más tarde

Junto con otros colegas, cuando recibió el Premio Municipal de Periodismo en 1967, en Caracas

En Punta del Este, Uruguay, en 1967, luego de saludar al presidente estadounidense Lyndon Johnson y solicitarle una beca de estudios

Con el embajador estadounidense Maurice Bernbaum, quien en 1967 le entregó a Nelson la beca de estudios de parte del presidente Lyndon Johnson

Entrevistando al gobernador de Caracas, Alejandro Oropeza Castillo, en una improvisada rueda de prensa en 1967

Entrevistando al presidente brasileño Juscelino Kubistchek, a bordo de un avion de Varig en 1967

En Venevisión, en 1967, de izquierda a derecha: Francisco Mendoza, presidente del canal; Oscar Yanes, jefe de prensa; Omar Pérez, Nelson y don Diego Cisneros, propietario del canal

Con el presidente Raúl Leoni en Miraflores

Frank Briceño Fortique, Alberto Quiroz Corradi, Carmelo Lauría, José Giacopini Zárraga, Carlos Sthory, otro invitado y Nelson, en los premios Jóvenes del Año de la Cámara Junior

En mayo de 1968, durante la visita a Venezuela del doctor Christiaan Barnard, primer cirujano en realizar un transplante de corazón en el mundo

Moderando una rueda de prensa del presidente Joaquín Balager, en Santo Domingo, en 1971

En una conferencia de la Organización Mundial del Turismo (OMT), con Frank Briceño Fortique y la doctora Ana María Rivas, en Madrid, a mediados de los años 70

Aquí con Natalie Jacobs y la leyenda del cine Groucho Marx, con quien tuvo una muy buena pero corta amistad

En Beverly Hills con Joyce Haber, directora del *Hollywood Reporter*, y el actor Gene Kelly, quien iba a ser el padrino de su boda con Bolivia en esa ciudad

Con Andy Warhol, acompañado por su madre Italia Sardi de Bocaranda, la modelo venezolana Betty Paul y una *socialite* estadounidense amiga del artista

En el palacio de Nariño con el sonriente presidente colombiano Misael Pastrana, y los periodistas Eleazar Díaz Rangel y Nelson Luis Martínez, entre otros

Con el presidente de Corpoturismo, Guillermo Villegas Blanco, la actriz Natalie Jacobs y Frank Capra Jr., entre otros, durante la reunión en Caracas preparando una filmación en Venezuela

Compartiendo runrunes con el presidente Rafael Caldera en 1973

El vicepresidente de los Estados Unidos Nelson Rockefeller y el embajador nicaragüense Guillermo Sevilla Sacasa, en la Embajada de Venezuela en Washington

Junto a Frank Briceño, conversando en Madrid con el príncipe Juan Carlos de Borbón, durante la reunión de la OMT, en 1975

En el aeropuerto de Teherán entrevistando al Shah de Persia Mohammad Reza Pahlavi, antes de la llegada del presidente Carlos Andrés Pérez en 1977

En Isfahán, Irán, un guía explica al presidente Pérez la historia de una mezquita. Lo acompaña el embajador de Irán en Venezuela, Manoucher Farman Farmaian

Con Abdalá bin Abdelaziz, ministro de la Defensa y luego rey de Arabia Saudita, en 1977, durante el viaje del presidente Carlos Andrés Pérez por los países árabes

En Riad, Arabia Saudita, con los ministros Ahmed Zaki Yamani y Saud Al Faisal, en 1977

Bocaranda, vestido de árabe, protagonizó una vasta tomadura de pelo a la comitiva oficial venezolana en Catar con la complicidad del fotógrafo Mario Abate, primero por la izquierda

Entrevistando al presidente de Argelia Houari Boumédiène, junto al presidente Pérez. Observan el actual presidente argelino Abdenaziz Bouteflika y los ministros Escovar Salom y Manuel Pérez Guerrero, detrás, el embajador General Alfredo Monch

En la visita del presidente Pérez a la Casa Blanca para la firma de los tratados Panamá-EEUU. La noche anterior, Nelson ayudó a Carter a practicar unas palabras en español

En el jardín de la Casa Blanca entrevistando al presidente Carter a propósito de la firma del tratado del Canal de Panamá. Él declara en español lo que practicó con Nelson en la Oficina Oval

Junto con Adolfo Suárez, presidente del gobierno español y Marcelino Oreja, su canciller. Observa detrás Rafael Tudela

Con Audrey Hepburn, su actriz preferida de todos los tiempos, tras entrevistarla en Caracas

Conversando con el presidente Ronald Reagan, en presencia de Luis Herrera Campins, en la Cena de Estado en la Casa Blanca, en 1981

En 1981, con los presidentes Rómulo Betancourt y Luis Herrera Campins, y los hijos de Herrera, en el Yankee Stadium de Nueva York. Este es el último registro gráfico de Betancourt con vida

Con Carlos Andrés, de cumpleaños, y la periodista Dhamelis Diaz, en el programa "Lo de hoy", en RCTV, en 1983

Reunido con Kurt Waldheim, secretario general de la ONU, con quien era habitual que se encontrara en misa, los domingos, en la iglesia católica Saint John Evangelist en Nueva York

Nelson y Bolivia, recién casados, en el estudio del artista Henry Moore en las afueras de Londres en 1983

El día que Bocaranda recibió el premio Nacional de Periodismo, en 1985, junto con el presidente Jaime Lusinchi. Lo acompañaron sus padres y Bolivia, embarazada de Cristina

Junto a Fernando Aizaga, Rodolfo Rodríguez García, gerente general de Venevisión y Gustavo Cisneros

Saludando al presidente colombiano Belisario Betancur, en Venevisión

Nelson, con su familia y el cantante español José Luis Perales en el Metro de Caracas, rumbo al Museo de Arte Contemporáneo

Con el presidente Lusinchi y Gabriel García Márquez durante un homenaje al escritor colombiano en Miraflores

Durante la grabación del programa "En confianza", de VTV, a las afueras del Congreso Nacional de la República, en 1987

Con el canciller Simón Alberto Consalvi en la Asamblea General de la ONU, en 1985

En San Luís de Maranhão, saludando al presidente brasileño José Sarney, en 1988

Presentando a Luciano Pavarotti en una rueda de prensa en Caracas

Con Fidel Castro el día de la toma de posesión de Carlos Andrés Pérez en 1989. La fotografía es de Vasco Szinetar

Con el presidente Alan García en la Casa de Pizarro, sede de la presidencia de Perú en 1989

Con su gran amigo, el polémico historiador y periodista Jorge Olavarría

Con uno de sus periodistas modélicos, Walter Cronkite, en Nueva York, en 1992

En Atlanta, en 1992, con Ted Turner, fundador de CNN

En una entrevista al presidente colombiano César Gaviria en 1993

En la residencia Los Pinos entrevistando al presidente mexicano Ernesto Zedillo, en 1994

En 1994, el presidente Ramón J. Velásquez, la última noche de su interinato, otorgándole la Orden del Libertador. Observan doña Ligia de Velásquez, Nelson Eduardo y Cristina Bocaranda

Saludando al presidente estadounidense Bill Clinton, en Caracas, junto con el presidente Rafael Caldera y el periodista Abelardo Raidi, en 1997

En 2002, con Lech Walesa en Palabras para Venezuela, asistido por su productora en Venevisión, Venezuela Hernández

En Chile, en 2003, durante una de las tantas entrevistas a Felipe González

Conversando con el presidente brasileño Lula da Silva, junto con Gustavo Cisneros, en un desayuno en Caracas en 2011

En 2012, Nelson, Bolivia, Jose Claudio Daltro, el expresidente de Brasil Fernando Henrique Cardozo y Teodoro Petkoff en Palabras para Venezuela, en Banesco

Los Bocaranda de vacaciones en Shanghái

SONY
make.believe

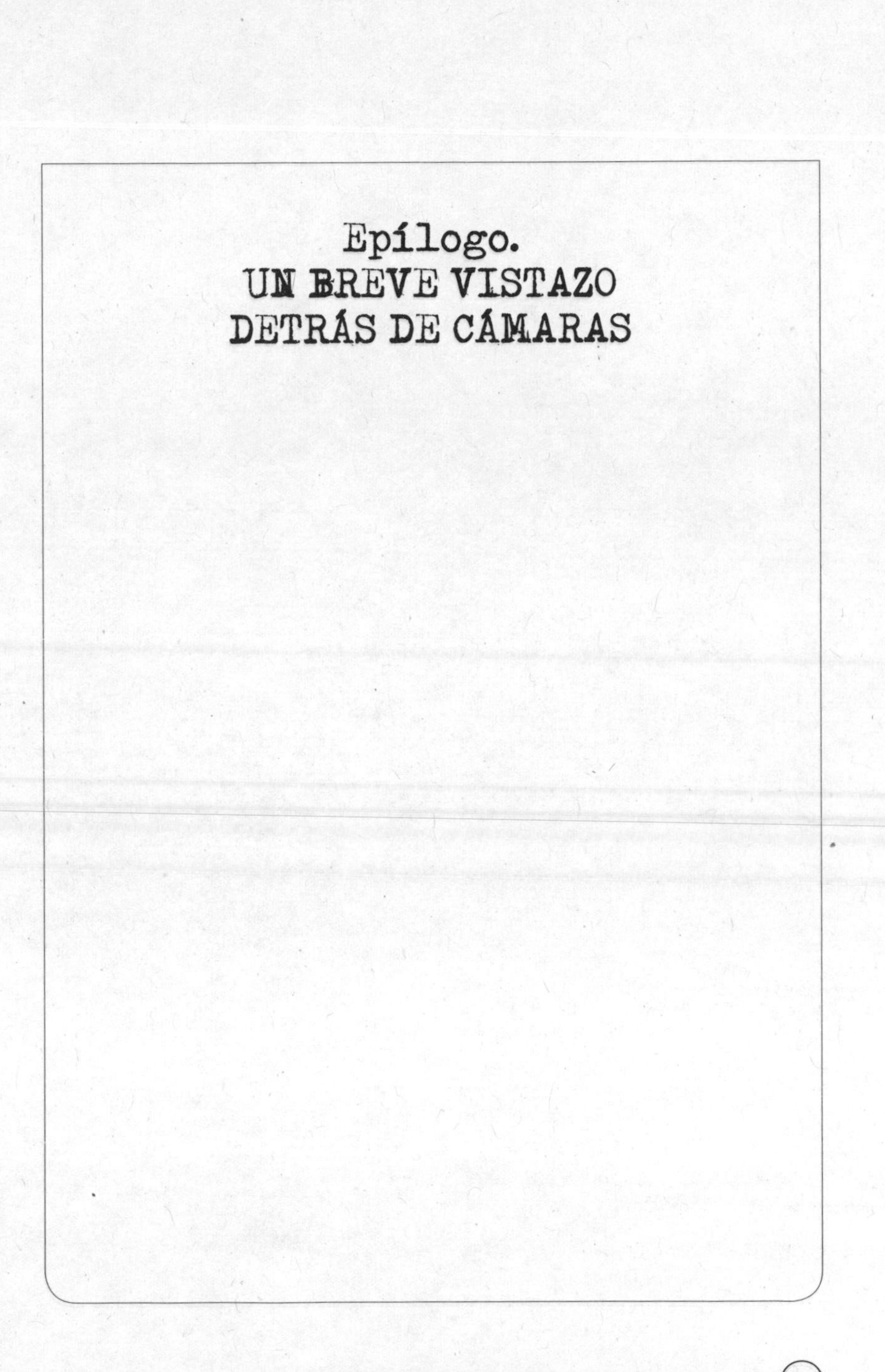

Epílogo. UN BREVE VISTAZO DETRÁS DE CÁMARAS

Todos sabemos, y mucho más ahora, después de escucharlo hablar en estas páginas, que Nelson Bocaranda es el periodista con la mayor cantidad de contactos en las redes, visibles y clandestinas, de la información y el poder en Venezuela. Coloquialmente se diría que es el periodista mejor 'dateado' del país y, sin duda alguna, uno de los mejor 'dateados' de América Latina. Lo terminamos de confirmar hace unos años, cuando venció todos los obstáculos, rompió el cerco informativo del gobierno venezolano y durante largos meses, sin interrupción y con una veracidad a toda prueba, le dijo al mundo cuál era el estado de salud del expresidente Hugo Chávez, hoy fallecido.

Para quienes, salvando las distancias, compartimos con Bocaranda el oficio de la noticia, verlo trabajar produce, al mismo tiempo, un gran gusto y no menos asombro. No es solo que a las ocho de la mañana, o antes, ya se ha leído todos los periódicos habidos y por haber, de papel y digitales, sino que desde muy temprano –a veces, desde la madrugada– ha comenzado a hacer y a recibir llamadas y mensajes a través de los cuáles se informa de qué está pasando dónde, cómo, con quién y por qué.

Luego de más de 50 años en la candela, y con una capacidad proverbial e innata, además de divertida, para colarse en cualquier situación, lugar o asunto, actualmente Nelson Bocaranda es, en sí mismo, un medio de comunicación, una antena donde se cruzan informaciones de toda índole y prácticamente sobre toda persona que tenga alguna influencia, o goce de alguna figuración, en la escena nacional. No faltan, por supuesto, en su buzón, runrunes que vienen de otras partes del mundo: los Estados Unidos, Colombia, España, Brasil, el Vaticano y más, países todos en los cuales Bocaranda tiene o ha tenido informantes, gente que lo busca para contarle lo que otras no quieren que se sepa.

Nos vimos, la primera vez, en casa de Simón Alberto Consalvi, en un almuerzo, y luego en una reunión que se organizó donde un colega para recibir a Mario Vargas Llosa en Caracas. Yo sabía quién era él, naturalmente, pero él no tenía noticias de mí y, a pesar de que en ambas ocasiones nos saludamos, cuando nos encontramos por tercera vez fue como reinaugurar un vínculo no obstante nunca inaugurado. Conversamos. Como Nelson se interesara en mi trabajo como editor de biografías, me dijo, de golpe, que le gustaría que lo ayudara a hacer un libro con sus memorias de profesión. Yo lo miré con cierto asombro y tímidamente le respondí: "Bueno… está bien", a lo que él reaccionó con la frescura que lo caracteriza: "Ok. Te llamo". Audaz, si a lo sumo había hablado conmigo durante 10 o 15 minutos.

Unas semanas después ya estábamos sentados, en la cocina de su casa, para dar inicio al trabajo. Sería el primero de, al menos, 50 encuentros en los cuales lo escuché contar todo, o casi todo, lo que se dice en las páginas de este libro. Desde el principio decidí no ser un inquisidor, no interpretar el rol de abogado del diablo. Había cosas que yo quería saber, por pura curiosidad histórica –a veces, también, por ese apetito impúdico que producen los runrunes–, pero entendía que estaba allí para que Nelson narrara a sus anchas las mil y una historias de su vida como reportero nato.

Para mi sorpresa, no hubo necesidad de que lo presionara demasiado para que soltara amarras y dijera cosas que hasta entonces había callado. Como queda demostrado en estas memorias, el hecho de que Bocaranda tuviese acceso a las mejores fuentes para enterarse de lo que sucedía en la habitación del presidente Chávez se debió a que, en efecto, en el transcurso de medio siglo ha tejido una telaraña de la que es muy difícil que se evada cualquiera que concurra a la tarima pública, aun si se trataba, como en ese caso, del hombre más poderoso y más rodeado de secretos en Venezuela desde los tiempos del general Juan Vicente Gómez.

Por lo reciente del suceso, es obvio que Nelson no iba a revelarlo todo: no puede. Siendo, como es, un maestro sin igual en el arte de despistar, durante nuestras conversaciones supo ir hasta el límite de lo confesable, una regla básica del periodismo más arriesgado. A ninguna persona con seso se le ocurriría esperar que confiara, por ejemplo, nombre, apellido y número de cédula de sus informantes de último momento. Por lo demás, la trama que desentraña es más importante que esos detalles.

¿Fuimos cómplices en la elaboración de una intriga dentro del libro? Sí y no... No, porque (casi) nunca me pidió que obviara algún dato que previamente me hubiese dado. A lo sumo me preguntaba si me parecía que lo que acababa de contar estaba claro. Cuando no era así, volvía a elaborar... Sí, porque desde el comienzo me dejó saber que me daba libertad total para armar la estructura que resultase más efectiva, a los fines de lograr que la mayor cantidad de sus historias quedasen consignadas de la mejor manera. Una "mejor manera" que implicaba ser lo más fiel posible a su modo de hablar, que es endemoniadamente dinámico y ajetreado hasta el punto de que es capaz de anular los planos temporales para someterlo todo a un presente que no cesa.

En el trayecto no fueron pocas las personas que nos ayudaron. Además de la transcriptora de nuestras entrevistas, Cinzia Procopio, y de nuestros primeros lectores, el escritor Samuel González-Seijas y el abogado Ricardo Torres, estuvo siempre a nuestro lado Bolivia Bocaranda, la esposa de Nelson, que se acercaba para aclarar datos, precisar fechas y recordar episodios que no debíamos dejar de lado. Uno de ellos es, "por cierto", el que narra la historia del momento en que se conocieron, y que quisimos dejar para al final, a fin de cerrar el libro con una anécdota más que agradable. Fue el 11 de enero de 1980, una noche de nieve en Nueva York. Nelson estaba agotado luego de haber pasado el día entero en la ONU dándole cobertura a la invasión soviética de Afganistán. De camino a su apartamento, que quedaba en la calle 57 y 2nd Avenue, hizo una parada en casa de Berta Elena Sanglade, buena amiga, para relajarse y tomarse un gin tonic. Cuando se abrió la puerta, allí estaba Bolivia, a quien Nelson le dijo, como quien anuncia una primicia, que algún día se casarían. Era la primera vez que se veían y el hombre ya estaba decidido. Desde entonces no se han separado, y si algo debe quedar claro a estas alturas, es que la persona que es Nelson Bocaranda es indisociable de la presencia de su esposa.

Finalmente, decir esto: en marzo de 1973, Nelson viajó a Toronto para acompañar a la periodista Margarita D'Amico en una visita a Marshall McLuhan, uno de los más grandes teóricos de la comunicación de todos los tiempos y autor del término "aldea global", que define plenamente el mundo en el que hoy vivimos. Entre las tantas cosas que McLuhan dijo ese día, a Bocaranda se le quedó grabada una, en particular: "Es cierto que el medio es el mensaje –explicó el profesor–, pero también y sobre todo el medio es el masaje. Nunca lo olviden". De esa manera el señor Marshall quería significar que el periodismo no es un oficio mecánico, sino un ejercicio que estimula el cuerpo informativo de la sociedad. Luego de escuchar, a lo largo de tantas horas, las memorias habladas de Nelson Bocaranda, no me queda ninguna duda de que aprendió muy bien esa lección.

DIEGO ARROYO GIL